LUACH NA SAORSA

CLO-BHUALAIDHEAN GAIRM—Leabhar 22

LUACH
NA
SAORSA

Leabhar-latha,
Bàrdachd
is Rosg
le
MURCHADH MOIREACH

deasaichte le
ALASDAIR I. MACASGAILL

G A I R M
Glaschu
1970

Air fhoillseachadh an 1970 le
GAIRM
29 Waterloo Street, Glaschu, C.2.
Clò-bhuailte le
Macdonald Printers (Edinburgh) Limited

Thug an Comunn Leabhraichean Gàidhlig
cuideachadh do'n Chlo-bhualadair gus
an leabhar so a chur an clò.

CLAR-INNSIDH

Roimh-Radh

THA E 'NA mhór thlachd dhomh-sa na sgrìobhaidhean a dh'fhàg
Murchadh Moireach ullachadh airson a' chlò-bhualaidh, chan ann
a mhàin airson an eòlais a bha agam air agus gach cathrannas a
fhuair mi 'na chomunn, ach cuideachd airson gu bheil mi de'n
bheachd gur math as fhiach gach lideadh a sgrìobh e a bhith air
a chur fa chomhair luchd-leughaidh Gàidhlig.

Is ann air a' Bhac, an Leódhas, a rugadh Murchadh ann an
1890. Cha robh goireasan 'na latha-san mar a tha aig cloinn ar
latha-ne, ach bha féill air sgoilearachd ma bha e idir comasach
an sgoil a leantainn. Chaidh e a Sgoil MhicNeacail, an Steòrna-
bhagh, agus b'e am prìomh-sgoilear an sin ann an 1909. Ann an
Oilthigh Obairdheathain nochd e na buadhan ceudna, a' dearbhadh
gu follaiseach gun cumadh e ceann a' mhaide an sgoilearachd ri a
chomh-aoisean as gach ceàrnaidh. Thug e mach M.A. ann an
1913, agus cho luath agus a bha e deiseil thòisich e ri teagaisg.
Bha e greis bheag an Tolastadh, an Leódhas, am Pabail, an
Uidhist, agus an Luirg, an Cataibh, mus do thòisich cogadh mór
a' Chéiseir. Cha b'ann leis fhéin a shaorsa an déidh sin, agus
thug an cogadh esan leis mar thug e iomadach ceatharnach eile.
Bha e 'na oifigear as na 4mh Sìophortaich, agus b'eòlach e air
dòigh beatha na trainnse ann am Flanders gus an do sguir an
cogadh an 1919.

Air dha a thrusgan cogaidh a chur a thaobh, chaidh e air ais
a rithist gu bhith teagaisg, an toiseach 'na cheann-sgoile am
Foithir gu 1925, agus an déidh sin gu 1928 as a' Mhanachainn.
Chaidh àrdachadh á sin gu bhith 'na inspeactar sgoiltean far an
robh a bhlàths-cridhe agus a chaomhalachd 'nan cuideachadh
mór do iomadach tidsear. Bha e fhéin agus a bhean, Sìne, a
bhuineadh do'n Eilean Sgiathanach, air thigheadas anns na
bliadhnaichean sin an Srath Pheofhair, agus dachaidh na bu
bhlàithe cha b'urrainn do dhuine a thadhal. Is ann an sin a
chaochail Murchadh aig aois 74, air an 30mh de'n Chéitean, 1964.

Mar bhàrd is mar sgrìobhaiche bha buadhan air leth aig Murchadh Moireach, agus b'olc an airidh nach robh de thìde aige na bhitheadh air tòrr a bharrachd a chur air a chéile. Bha e fhéin, cuideachd, cho iriosal 'na ghné agus nach robh e a' smaoineachadh tòrr de na h-oidhirpean a bhitheadh e, an drasda 's a rithist, a' cur air a chéile. Cha bu lugha na foirfeachd a chòrdadh ris. Ach chan eil duine eile aig a bheil breithneachadh idir nach fhaic gun robh aig Murchadh Moireach inntinn chomasach, fharsuing, sùil a bha léirsinneach gu smuaintean domhain a lìrigeadh am briathran sìmplidh, blasda.

Troimh bhliadhnaichean a' chogaidh mhóir, bha e a' cumail leabhar-latha, na daithearaidh—Guthan beaga o latha gu latha, mar a bha e fhéin 'ga ainmeachadh. Tha tarruing air leth as na tha e a' sgrìobhadh, agus biadh gu leòr do'n h-uile duine a chagnas agus a chnàmhas e. Gheibhear an so boillsgeadh air na bha an cogadh a' toirt 'na luib, léig is poll, fuir is gaorr, leòn is bàs, eagal is misneachd, aoibhneas is dóruinn, càirdeas is co-chomunn. Troimh chunntas gach latha tha sinn air sgiathan na h-inntinne air an raon; tha ar fairichidhean fo chìs agus chan urrainn duine gun iongnadh a bhith air cho treun agus a bha spiorad nam balach a dh'fhalbh á iomadach clachan. Ach chithear, cuideachd, anns an iomradh, an seòrsa duine a bha ann am Murchadh fhéin—duine uasal an smuain is an gnìomh, comasach air bòidhchead na maidne agus mìorbhuileachd na cruinne mu thimcheall fhaicinn a dh'aindheoin clàbar na faiche agus guileag-bàis a' pheileir. Bha comh-fhaireachduinn aige ri caraid is eascaraid, ag éirigh á cridhe a bha ag iadhadh an t-saoghail.

Is ann ann an Gàidhlig a bha e a' cumail an leabhar-latha, an sgrìobhadh beag, mìn, am pionsal, a tha nis gu math duilich a dhèanamh a mach. Cha robh e a' cur dorrain sam bith air facal Beurla a chleachdadh far am b'e sin a b'fhaisge air inntinn, agus bha amannan ann—mar aig blàr fuilteach Ypres—an uair a b'e Bheurla gu h-iomlan a bha ag aiseag a smuaintean. Dh'fhàg mise a' Bheurla sin mar a bha i, oir tha i mar sgàthan far a bheil sinn a' faicinn dòigh-obrachaidh inntinn fhéin agus faileas na bha a' dol air adhairt mu thimcheall. Air duilleig an sud 's an so tha cunntasan beaga am Beurla, a' buntainn ris a' chogadh ach air leth bho'n chunntas latha, air uairean riaghaltan, ach an àite na dhà mar so:

8

EXTRACTS FROM ROUTINE ORDERS

SECOND ARMY ROUTINE ORDERS

No. 11559 Pte. D. Docharty, 2nd Batt. K.O.S.B. Absented himself from his Batt. at St Julien on 1st May 1915, and was apprehended at Bailleul on 23rd June. When arrested, he falsely stated that he was servant to an officer in hospital. He was tried by F.G.C.M. on 4th July 1915 for desertion and was convicted and sentenced to be shot. The sentence was duly carried out on 16th July.

Tha an aithris lom, gun lideadh air am bu mhath na olc na thachair. Saoilidh mi nach tigeadh e a steach air fhéin na air na b'aithne dha diùltadh an àite a sheasamh air cho teann 's gum bitheadh an latha.

Chan eil cunntas a' chogaidh gu léir againn anns an leabhar-latha; chan eil iomradh sam bith air 1916 as an dà leabhran as a bheil na cunntasan eile, agus tha fior dheireadh a' chogaidh a dhìth, oir, greis mus do dh'eubhadh an t-sìth, chaidh Murchadh a leòn gu dona as a' ghàirdean, agus bha e fo chùram nan lighichean agus air falbh bho'n iorghull na mìosan mu dheireadh. Bhitheadh e, gun teagamh, air a bhith 'na tharruing inntinn nan robh cunntas mìosan deireannach a' chogaidh againn troimh inntinn agus shùilean Mhurchaidh, ach cha robh so an dàn. Fhuair e os cionn an leòin a dhèanadh air, agus cha do chuir e cus dragha air 'na dhéidh.

Ged nach eil an cunntas-cogaidh crìochnaichte, saoilidh mi gur e neamhnuid luachmhor, a tha airidh air a toirt am follais, a tha as na sgrìobh Murchadh as na trainnsichean. Chithear gnè an duine aig fheabhas; air uairean, a' cathachadh an aghaidh shuidhichidhean a bha trom air spiorad is inntinn, agus a bhitheadh do-ghiùlan ann am ceumannan nàdurrach—agus an còmhnuidh, le fearas-chuideachd is fior mhisneachd, a' toirt buaidh air gach briseadh cridhe; air uairean eile, gun chùram air domhain, le spòrs is gàire, a' cur sgiathan na h-ùine 'nan cabhaig. Ach fairichear, cuideachd, anns an dol seachad gòraich an leithid de sgrios. Tha tarruing air leth as an smuain agus as an sgrìobhadh; tha dearbhadh follaiseach an so do gach neach a thuigeas air a' bhreithneachadh inntinn neo-àbhaisteach a bha aig Murchadh Moireach. Da-rìribh, cha b'e a h-uile saighdear a gheibhte a' leughadh Oisein as an trainnse.

Tha luach as na h-òrain cuideachd. Is ann as an t-sean dòigh a bha a' mhór-chuid aca air an cur air a chéile, ged a chithear, air uairean, buaidh an dòigh ùir a bha 'ga nochdadh fhéin timcheall an ama sin. Bha gaol is cogadh as na cuspairean, ionndrainn is bàrdachd baile. B'olc an airidh nach do chum Murchadh air a' bàrdachd aig àird a bhuadhan, oir bha liut is inntinn aige as an robh fìor bhàrdachd uasal air a thighinn.

Tha mi fo fhiachan do Chomunn Gàidhlig Inbhirnis airson cead a thoirt dhomh "Mairi Nighean Iain Bhàin" a chur 'san leabhar, agus gu h-àraidh do *Ghairm* agus do Ruaraidh MacThómais a leig leam cothrom eile a thoirt do luchd-leughaidh na Gàidhlig na sgrìobhaidhean eile aig Murchadh, a gheibhear an *Gairm*, fhaicinn an so a rithist: an cunntas a thug Murchadh air a dheagh charaid Iain Rothach, a thuit 'sa' bhlàr mus tàinig am bàrr-gùg air fhìor chomasan; Turus do'n Spainnt; agus Geographaidh na h-Albann, na sgrìobh Murchadh fhéin-dheth.

Thug am Proifeasar dhomh iomadach cuideachadh eile ann an deasachadh an leabhair, agus bha uallach a' chlò-bhualaidh gu léir an urra ris. Tha mi fada 'na chomain.

10

GUTHAN BEAGA O LATHA GU LATHA

Leabhar-latha bho àm a' chiad chogaidh

19.2.15 7 p.m. air bòrd an Archimedes. Dh'fhàg sinn Southampton.

20.2.15 Ràinig sinn Havre. Choisich sinn 5 mìle chun a' champ —fallus 'gar dalladh.

21.2.15 Latha na Sàbaid — glé chomhurtail — dìomhoin — "Cho sona ri Aonghas Uilleam ud shuas!"

22.2.15 Dh'fhàg sinn Havre aig 3.15 a.m. Carbaid shlaodach— 8 eich, 40 fir.

23.2.15 Ràinig sinn Bailleul faisg air Ypres aig 12 a.m.—chaidh ar cur an tighean gloine. Aoibhneach!

24.2.15 Bailleul—na gunnaichean móra dol gun tàmh. Chaidh na Breatunnaich mìle air adhairt—4,000 Gearmailtich air an glacadh (ràdh). Fhathast ann an tigh-gloine—sneachd is reothadh 'san oidhche—uisge troimh 'n latha.

25.2.15 Bailleul—latha math, gun dad 'ga dhèanamh. Torunn nan gunnachan gun tàmh.

27.2.15 Dh'fhàg sinn Bailleul aig 8.30 a.m.—latha fuar, gaoth gheàrrt'—a dh'ionnsuidh La Clytte, seachd mìle air falbh. Rathad salach briste; 23 againn ann am both. Na gunnaichean móra dol gun tàmh. Thuit dà shell air an rathad ri ar taobh (ràdh S. M. Pratt). J. A. Macleod agus an teine. Ceò na b——.

28.2.15 La Clytte, Belgium. Sunday. Latha tioram ach léig gu leòr—gu caol na coise. Aeroplane air àirde le frois shells mun cuairt dith. Sùil thairis leis a' Bhrigadier—8 p.m. Fuam nam pìob aig na 1st Gordons tighinn ás an trainns. Deathach gu leòr—lainnir na lasair air na h-aghannan 'sa' bhoth—K. a' bearradaireachd—gach duine am mullach a shòlais.

1st March La Clytte—stoirm eagallach troimh 'n oidhche. Uisge troimh 'n latha. Ruairidh Lidy. Sùil thairis le Gen. Smith Dorien; feasgar math; slaodadh fiodha.

2nd March Co-latha mo bhreith. Latha grianach ach reothadh troimh 'n oidhche. A Coy. 'san trainns.

3rd March Bomb throwing; latha math; co-sheirm an C Coy. 1st Gordons—abair aoibhneach. Chunnacas D. Macaoidh, Tol-stadh, D. Graham; Cailean. Latha math.

4.3.15 Bomb throwing; latha math; B Coy. 'san trainns còmhla ri 1st Gordons. Cuid de bhalaich D. Coy. a muigh a' trainnsigeadh. Dh'ith Iain a rations.

5.3.15 Latha gaothar. Fuam nan gunnachan móra taobh Ypres —dol gu h-eagalach—a' cheud chasd. R.M.M.I. aig cóig uairean feasgar. Mu 9.30 p.m. dh'fhalbh sinn a thrainnsigeadh. Rathad salach clabaireach. J. A. M. leis an spaid, a' cumail nam peilear air falbh! Fead an sud is fead an so dol seachad mu ar cluasan. 1d aig a' chaillich mhóir air Iain!

6.3.15 Thill sinn a thrainnsigeadh aig 4.30 a.m.—salach, luideach. J. A. M. 's ruma! mess-tin fo achlais 's e goid a mach mar an radan—'ga òl fo'n phlaide. 'S cha robh M.M.I. gun a chuid deth. Latha fliuch disearr aognaidh. M.M.I. agus M.M.I.! Iain Gobha 's a' chaillich mun iomlaid.

7.3.15 Latha fiadhaich—bomb throwing. Sud thu Iain Aonghais le do phoca làn! Ithidh tu do rations an nochd.

8.3.15 Latha diabhlaidh fuar—sneachd. M.M.I. le bhonnaich mhóra—'s e a bha soganach. Litir bho'n tigh agus t-éile bho S. Dh'fhalbh sinn an ciaradh na h-oidhche do'n trainns—fatigue 'san dorcha; anns an t-sabhal; fuam nan gunnachan móra. Eagal nam mial!

9.3.15 Latha briagha reòit, casan fuara troimh 'n oidhch. Làraich nan shell (an dorus an t-sabhail) leis an deach a' cheud Ghordanach (4th) a mharbhadh—na h-uaighean; na gunnaichean móra dol gun tàmh. Fatigue chun trainnse K2— fodha chun nan glùinean.

10.3.15 Buntàta is bulaidh 'san t-sabhal. Uisge na dìge; falbh chun firing line—feasgar bog. Oidhche dhorch—meadhonach fuar. Corporal Sradagan 2 Suffolk 's an gluma bùirn—chaill e ghunna. B'iad fhéin na balaich gu faighinn feadhainn.

11.3.15 Latha math, gun dad a' dol fhathast. Sùil ri blàr artillery aig 11.30 a.m. I.M.I. J.S.M.
An domhain fa sgaoil. Fierce bombardment of German trenches by our batteries—Good luck!
Tha sinn a' faighinn ar mi-shealbh le Jack Johnson agus shrapnel—smùid de'n talamh a' tighinn do'n trainns. Bhuail b!oigh té mi 's a' chòta.

12.3.15 Seiligeadh eagallach leis gach taobh ach sinne gu math sàbhailt. Ghlacadh 3 miles of trenches agus grunnan cheudan phrìosanach. Thàinig sinn ás an trainns mu dheich uairean a dh'oidhche.

Stand to arms fad na h-oidhche.

13.3.15 Latha math briagha — *bomb throwing.* Fhuair na Worcesters am mi-shealbh leis an Artillery againn fhéin an déidh dhaibh gabhail trainns nan Gearmailteach.

14.3.15 Sunday. Latha math. Church parade. Feasgar eagallach aig Artillery—a' dol 'san dorch—soillseachadh na coille—faireachdainn uaigneach—uachdar an domhain fa sgaoil a' criothnachadh na cruinne. Thill C. Coy.—ma gheibh iad faisg roimh thighinn an latha bithidh againne ri dhol taobh Loire. Chaidh Iain do'n trainns ma fhuair e unit.

15.3.15 Sguir udarrais nan gunnachan móra timcheall air 8 p.m. *Stand to arms.*

16.3.15 Latha math — dèanamh deiseil airson na trainns. Dh'fhalbh sinn suas taobh Kemel mu 7 p.m. Feasgar briagha againn a' tighinn gu trainnsichean h2, h3 and h4. A' cheud pheilear.

17.3.15 Latha briagha. Chaidh L. Cpl. a mharbhadh tràth air a' mhaduinn. Tha dha-na-tri shells a' tuiteam timcheall. Fhuair sinn chun an t-sabhail 'san anmoch. Chaidil sinn an toll beag—14—ar glùinean 'nar bus—casan fuar.

18.3.15 Latha greannach. Sinn a bha soganach a' bruich bhun-tàta. Ross (of old G.) air a leòn 'san anmoch air fatigue. Sneachd 'san oidhche. Na balaich a muigh a' dèanamh trainns.

19.3.15 Sneachd. Latha disearr. Chaidh sinn chun an trainns—K2 (c or d). Thòisich cur sneachda—a' liùgaireadh ri teine. Chaidh e as, an déidh ar dìcheall.

20.3.15 Latha fuar gun dad a' dol. Oidhche fhuar.

21.3.15 Latha na Sàbaid. Grianach. An artillery a' dol.

22.3.15 Latha briagha. Chaidh ar leigeadh as an trainns—'san t-sabhal.

23.3.15 Keith Mackay air a leòn. An dìg an rathaid a' dèanamh somag dhuinn fhìn. Theab peilear spoth Ghardan! Ràinig sinn La Clyth.

24.3.15 Latha cadalach.

25.3.15 Latha math fliuch. Platoon drill againn.

29.3.15 Dh'fhalbh sinn a rithist do'n trainns—oidhche shoilleir bhriagha 's an saoghal uile fo shàmhchar ach sgal na pìoba. Ghluais sinn fo buaidh-se le ceum lùghmhor ged bu trom an t-eallach—'s a pongan a' togail Tìr ar Gràidh an inntinn gach duine againn—seachad air Vierstrat chun an t-sabhail mhóir. Platoon 15 ann an Na. Oidhche reòit—casan fuar. Có bha romham ach balaich Tholastaidh—Shemelach Campbell.

30.3.15 Latha briagha grianach. Shrapnel a measg nan craobh. Ruith caol aig na balaich 'san 'dug-out'. Chaidh ar leigeadh aist—suas do'n t-sabhal air a' mhullach. Aon soillse 's bhiodh e 'na smùid.

31.3.15 Dà fatigue a raoir. Gearmailtich is Fraingaich marbh air an rathad. Cadal chan fheum troimh'n oidhch'. Obair, obair! Latha briagha ach chan fhaigh a mach.

1.4.15 Theab sinn bàsachadh troimh 'n oidhch', cuid a' fann-taigeadh a chion 'air'. Chaidh ar tionndadh a mach. A dèanamh trainns. Chaidh sinn a dh'M3.

2.4.15 Oidhche ghealaich—smuaintean àghmhor a' dol do'n trainns an raoir. Latha briagha.

3.4.15 Oidhche fhliuch a raoir. Fatigue. Latha fliuch—cadalach, gun dad 'ga dhèanamh.

4.4.15 Oidhche fhliuch a raoir—fatigue na galla! Chaidh ar leigeadh aist leis na Waricks. Chaidh iad air chall.

5.4.15 Ràinig sinn a 'hut' aig 2.30 a.m. Cadal mar a thuit sinn cha mhór!

6.4.15 Latha math—balbh. Spree na galla orm fhìn 's air Murdie (tha gu dubh).

7.4.15 Ruith 's a' leum. Oidhche bhriagha.

8.4.15 Latha fliuch.

9.4.15 Cha robh dad 'ga dhèanamh.

10.4.15 Dol do'n trainns. Ràinig sinn an sabhal—Kemel.

11.4.15 Tràth 'sa' mhaduinn—latha briagha ciùin, ach reòit troimh'n oidhche. Mie a' gabhail a' bhrath air Seon-Angus. Oidhche na brioscaid aig Murdie. Glaim no srann. Air Guard. Litir bho Iain.

12.4.15 Latha briagha. Air Guard gu 2 p.m. Seoc Beag air guard 15 min. na b'fhaide na chòir—Brath! Oidhche bhriagha a' dol air fatigue gu K3. Chunnaic sinn Zeppelin as an tighinn air ais duinn. Fhuair mi litir bho S——.

13.4.15   Latha briagha grianach a rithist. Smuaintean àghmhor a muigh air a' ghlasaich a' leughadh. Tìr nam Beann ag éirigh suas 'na làn mhaise. Abair fealla-dhà—cho sona ri Aonghas Uilleam ud shuas. Chan eil aig Murdie ach Rs. aon latha!!! Tha e dol a shadadh as a' chorra (de Mhacconachaidh)!!! Dol a K 2A a nochd.

14.4.15   Ràinig sinn K2A a raoir sunndach suigeartach—sinn a bha aoibhneach a' lìonadh phocannan ùrach, 's fead nam peilear m'ar cluasan. Sguir sinn an càileanachadh an latha— sgiamhach le grian làn, an saoghal uile fo aoibhneas. Ceilear nan eun, pong shiùbhlach milis. Ach fhuair sinn aobhar bròin. Chaidh James Orr Cruickshank a leòn troimh 'n cheann—a bhathais chaidh a sgealbhadh; a dh'aindeoin oidhirp thaom fhuil gu làr is shìoladh sìos a bheò. Shìn sinn e air an ùrlar sàmhach socair, Isaac is mi fhìn a' suathadh a chasan is a làmhan gu cumail buille a' chridhe dol. Dh'aithnich e sinn. Dh'fhalbhadh leis 'san inneal giùlain ach cha do rinn cobhair feum, oir fhuair e bàs troimh'n oidhche.

15.4.15   Latha eile tha cur ceilear 'nam chré. Gach duine am mullach a shòlais. Cho luath 's a chuir an oidhche sgàil oirnn thòisich an obair. Co leis tha 'm balach tha dèanamh a' bhalla-phoc? An cuala tu riamh mu Mhurchadh Mac Alasdair Mhurchaidh Bhàin? Murchadh ac! Is có na gillean grinn tha lìonadh nam poc—có tha ach sàr ghillean Leódhais—Aonghas Chalum Dhòmhnaill 'Ic Urchaidh. Aonghas ac is Isaac Bàn Mac Iain an Tàileir, An Gille Dubh. Shuas Seoc Beag Mac Iain Duinn is Iain Ardthunga is Alasdair Bhruncha. Chluinnt ar gàireachdainn a' lìonadh na h-oidhche a dh'aindeoin fead a' pheileir chaoil. Cinn sìos aig Seon Angus: 'S mise a chumas sin. Brag! Dh'fhalbh mo ghloineachan is dhàth an ùir m'aghaidh. Bhuail e am poc air mo bheulaibh. Ach b'e mo laochan Murdie a bhuail am peilear caol leis an spaid 'ga shadadh gu taobh. Ach gu mi-shealbhach chaidh e gu Isaac Iain an Tàileir. A mach a so gu Lieut. Watson. Isaac air a dhà ghlùin 's mi-fhìn a' sadadh a léine m' a cheann. Ged a bha, chan fhaighear toll a' pheileir. Ach so thàinig sinn gu builgean beag dearg mar bhìdeadh deargain—'se sin leòn Isaac. Thòisich a rithist an obair.

16.4.15   Latha eile 'nan cois. 'Drum up' is cadal, is cadal is 'drum up.' Dol a dh'fhàgail na trainns a nochd. Na gunnachan móra a' dol.

17.4.15 Latha dhuinn fhìn. Iain Gobha air falbh uainn do'n tigh-eiridinn. Sealladh math air aeroplane a' tighinn a nuas 's a beart-iomraidh air bristeadh.

18.4.15 Latha na Sàbaid—searmon 'san raon—route march 'san fheasgar.

19.4.15 An t-salm a bh'againn a roimhe. H—— fosgailt air an làimh dheis—am feasgar 's an oidhche 'na h-aon fhuam gu léir. Lasadh nan gunnachan a' taomadh bàis.

20.4.15 Obair Dhi-luain a rithist. J. Aonghais air fatigue 'san oidhche. Chuala e 'san t-sabhal gun deach Victor Charles Macrae, Plockton, a mharbhadh, a' toirt a steach leòinteach. Geo. Reid air a leòn 'san obair cheudna. Sergeant Robertson air a mharbhadh 'san aon àite.

21.4.15 An obair àbhaisteach.

22.4.15 Latha briagha. Nuair a bha sinn a' tighinn bho *rapid fire* chunnaic sinn an *stretcher* le Macaulay 's e air a leòn. Dh'fhalbh sinn do'n trainns feasgar. Fhuair sinn sìos sàbhailt —ach cha robh sinn deich mionaidean 'san trainns nuair a chaidh Munro (G. Comp.) a leòn, agus Serg. Alex. Skinner, Dingwall, a bha còmhla ruinn 'san Oil-thigh, a mharbhadh.

23.4.15 Maduinn fhuar. Chaidh J. M. Stewart Paterson a mharbhadh troimh'n oidhche raoir. Na gunnachan a' dol taobh Ypres le fuam eagallach o thàinig sinn—*rapid fire* dol 'na aon fhuam. Garbh 'san fheasgar.

24.4.15 Cha robh 'n Artillery eagallach gus an diugh. H—— da rìribh taobh St. Elois agus Ypres—a' feuchainn ri glacadh na trainns a chaill sinn shuas air taobh—. Troimh 'n latha thàinig *Grenade* dha'n trainns againn 's chaidh leòn Isaac le gearraidhean beaga. Triùir eile, Johnston, Banon, ——, air an aon dòigh. Calum leis a' bheart-ghiùlain air a chumail a' dol. Na gunnachan taobh na làimhe clìthe a' dol le turrabaich eagallach. Baile a chor-eigin 'na theine—an t-adhar 'na aon rughadh dearg. Sùil ri attack oirnn fhìn—ammunition gu leòr 'san trainns, bucais ùra—na grenades deiseil ri mo thaobh gu smùid a chur asda. J.A. is Seòras 's mi fhìn 'san aon *traverse*.

25.4.15 Uisge troimh'n oidhche raoir. Calum 'san *dug-out*. Tràth air a' mhaduinn chaidh Kennedy—*machine gun*—a mharbhadh ri taobh Iain—Latha briagha teth—Di-dòmhnaich da-rìribh.

18

Ràdh a' dol gu bheil sinn a' dol gu Ypres, gun deach 25000 marcach suas an dé. Tha mort air cùl so!

26.4.15 Oidhche bhriagha a raoir air fatigue, a' ghealach a' seòladh sàmhach troimh na nèoil. Ach fead nam peilear is toirm nan gunnachan bha reubadh sàmhchair na h-oidhche. Maduinn bhriagha ghrianach—na gunnachan móra a' dol gun tàmh mar thàirneanaich an ceann a chéile a' cur an domhainn air chrith—fad an latha a' dol gun tàmh. Chan eil saorsa sam bith 'san t-sabhal.

27.4.15 Cladhach eadar-thrainns a raoir—dà *fatigue,* ach bha'n oidhche briagha 's cha robh faireachdainn air. Maduinn fhuar. Na gunnachan móra a' dol. J.A. agus Seòras maille rium 's a' *bhillet.*

Cumail faire aig *Headquarters*—a' sgrìobhadh so 's a' bhoth le soills coinneil. Chaidh 22 a mach a 26 a mharbhadh an J trainns le Jack.

28.4.15 Headquarters guard. Latha silidh. Sgrìobhadh so 'san fhionnaraidh le gealaich mhóir làin air an dara taobh is grian mhór dhearg air an làimh eile. An àrtillery a' dol le fuam eagallach suas taobh Ypres. Lahore division air dol air adhart. Mo chluasan làn le mór uamhas nan gunnachan. Tha creach an sud. Mo mhiann is m'aigne 'na mheasg. Chaidh leòn W. Booth a' cladhach *comm. trench* is A. Mitchell an L còmhla ri Murdie. Dol gu La Clytte. Bhàsaich Mitchell.

29.4.15 Thàinig sinn a raoir as an t-sabhal—oidhche àillidh le gealaich mhóir a' lìonadh gach cridhe le sòlas. Thachair na pìobairean ruinn aig crois an rathaid is ghleus iad na pìoban —sunnd is sogan air gach neach eadhoin air Iain Spàgach. Latha teth—dhuinn fhìn. Bhàsaich Keith Mackay am Bailleuil. Feasgair àillidh—mi-fhìn is Seòras ag iarraidh boinne an tigh Belgian. A' smaoineachadh air C.C. nuair a bhiodh ag ol a' bhoinne. Gheàrr Murdie a stais—mur biodh sin bhiodh i uiread ri —!

30.4.15 Latha briagha—*bombardment.* Losgadh.

1.5.15 An obair àbhaisteach—ball-losgadh. Dol do'n t-sabhal gu bhith cladhach trì latha. Oidhche bhriagha bhlàth air an t-slighe.

2.5.15 Cladhach troimh 'n oidhche raoir. Murdie 'na chadal— e-fhéin agus Seòras agus S.A. 'san trainns. S.A. le càran 'gan cur am badaibh a chéile. Cadal 's a' cladhach troimh 'n latha; latha trom càdalach.

3.5.15 An obair cheudna—cadal troimh'n latha. Greiseag 'san trainns—abair gàireachdainn. Seòras ag iarraidh S.A. a chur a mach air an spaid—Murdie ag iarraidh spaid ùrach a chur air. Asphyxiating! Abair bombardment. Bròinean bochd, 's e anns an neochiont!!!

4.5.15 An obair cheudna—cadal fad an latha, 's ag obair troimh 'n oidhch! Dol do'n trainns. Oidhche shliobach shleamhuinn —tuiteam fo'n eallach. Walker agus Spark air an leòn a' tighinn do'n trainns.

5.5.15 Latha bruicheil. Na Gearmailtich 'gar seiligeadh gu h-anabarrach. Cha deach duine leòn fhathast. Feasgar àlainn sàmhach, mar fheasgar air àirigh 's na beanntaibh—toirm eagallach *'High Explosives.'* Ged a tha iad grunnan shlat air falbh tha'm mór fhuam an innis bristeadh mo chluasan.

6.5.15 Chaidh J. F. Knowles a mharbhadh (11 p.m., 5.5.15) a' tighinn a steach bho'n *chommunication trench.* Esan a' feuchainn ruith bho'n bhàs, 's am bàs a' ruith as a dhéidh. Oidhche bhriagha raoir. Maduinn cheothar. Gearmailtich aig a' *bharbed wire.* Dibhearson gu leòr a' feuchainn ri bualadh fear no dha ac' a bha 'ga nochdadh fhéin os cionn a' pharapet. Seils a' dol greis mhath de'n latha.

7.5.15 Latha sàmhach ciùin, an sàmhchar a' lìonadh na cruinne; feasgar fann a' cur mo smuaintean chun na h-àirigh a muigh Gleann Ghriais—cur mo smaoin gus na làithean nuair a chleachd mi a bhith suidhe air bruaich na h-aibhne, a' stealladh an uisge le mo chasan beaga brogach—fionnaireachd nach fhàg mo chuimhne chaoidh. Anns an ath-earrainn de'n trainns tha organ-chiùil le phongan siùbhlach cumail na tìde gun fàs ro throm. Air mo bheulaibh meanglan nan craobh, gach aon diùbh balbh, seillein bheaga le'n srann a' cluich mun cuairt, is ceilear nan eun uidh air n-uidh a' sìoladh sìos gu sàmhchar. Mu cheud gu leth slat air falbh tha'n nàmhaid le pheilear guineach, deiseil gu srann a leigeil leis a' bhàs mas e is gu nochd sinn ar ceann ro fhaicsinneach. Dol a K2 a nochd.

8.5.15 Ràinig sinn an trainns K2 a raoir timcheall air 9 p.m., an trainns a chladhaich sinn a' cheud uair againn fo theine. An toiseach an latha thòisich onghail eagallach timcheall air *Hill 60*—aon ràn nan gunnachan móra a' leantainn gun bhriseadh greis mhath de'n mhaduinn. Air gleusadh mo chluaise ri fuaman a b' ìsle chualas luath bhrag a' ghunna chaoil, drilseadh gath gréine an luaths a' bhraig. Fuam nan gunnachan mar mhuilleann eagallach no mar a h-uile tàirneanach a chuala mi riamh an ceann a chéile. Latha briagha grianach. Chaidh D. W. Crichton a mharbhadh troimh'n oidhche raoir. Cha do rinn mi dad ach fhàgail 'san trainns.

9.5.15 Latha briagha gaothar. Sabaid eadar aeroplanes. Leag am Breatunnach an Gearmailteach. Hurrah! Dol a dh'fhalbh a nochd.

10.5.15 Dh'fhàg sinn an trainns a raoir anmoch agus ràinig sinn botha Rhenninghelst tràth air a' mhaduinn. Cadal sona. An déidh meadhon latha bha sinn 'practising charge'—Grenadiers air an toiseach. Latha luath.

11.5.15 Latha briagha—charge mhór gu La Clytte.

12.5.15 Inspection by the General who told us we were to move up to Ypres. "Two battalions," he said, "have been wiped out of a brigade. Only 400 men were left—but they stuck it out. Remember Britain's word of honour—Scarborough, murdering women and children, sinking merchant ships, which are all against the laws of war—and, whenever you can, show to them you remember those, whether it is with the bayonet, bullet or anything else. I have every confidence in sending 4 Scll. Battns. down there. The Germans said they were going to put us out of it. We said we were going to keep it, and we are going to do it." Rinn an òraid sin a h-uile duine againn dìriseach agus deiseil gu cumail àite sam bith a dheidheadh a thoirt dhuinn—Buaidh no Bàs.
Dh'fhàg sinn aig dà uair gu Ypres. Stad sinn timcheall air $2\frac{1}{2}$ mìle bho'n bhaile. Bruidhinn ri Innseanaich. Baile Ypres 'na smàl, an t-adhar dearg troimh na craobhan; dh'fhalbh sinn gu relìbhigeadh na K.O.S.B.s. Bha e 9.30 an uair a bha mi deiseal guard. Goill ri rathad na carbaid-iarainn.

13.5.15 Ypres. Latha fliuch—anns na dug-outs fo rathad na trainns. Oidhche fhliuch air fatigue—dol air chall sìos an loinne gu Hill 60. Cuirp ri taobh an rathaid. Gunnachan caola gu leòr air gach taobh. Abair sliobach dol suas an cnoc. Thill sinn aig càileanachadh an latha. Calum ag ràdh gun robh dug-outs ri ar taobh làn chòtaichean mar a chaidh am fàgail a' dol chun na charge. Cha do thill na fir a riamh—duine tinn ann an dug-out. Thug iad chun an tigh-eireidinn e

14.5.15 Maduinn fhliuch. Thionndaidh gu latha math. Fatigue sìos gu Zillebek, baile beag ri taobh Ypres gun tigh slàn ann ach làraichean briste—bha na dachaidhean ciatach bho chionn sia mìosan.

15.5.15 Latha briagha—fasgadh mhol . . . [*cha dèanar an còrr a mach.*—F.D.]. M. 'ga ròsdadh le coinneal.

16.5.15 Di-dòmhnaich àillidh. Chaidh an Ginger air mo thòin dhomh. Dh'òl M. deoch salainn. Handicap mhiall.

17.5.15 Latha bog. Chaill sinn ar biadh maidne agus ar diathad. Trainnsigeadh air Hill 60. Chaidh Cruickshank a leòn.

18.5.15 Trainnsigeadh air Hill 60. Nuair a thill sinn bha an dugout a b'fhaisge air a leagadh gu làr's iad a' falbh leis na balaich chun an tigh-eiridinn.

19.5.15 A' cladhach faisg air Hill 60. Chunnaic mi Ruairidh Lidy.

20.5.15 Na balaich a' cladhach—an eaglais Zillebeke. Chaidh ar seiligeadh aisde. Bha iad 'gar seiligeadh aisde. Dh'fhalbh sinn dhachaidh gu bothan fiodha. Rozenhill faisg air Rhenningherst.

21.5.15 Latha math dìomhain.

22.5.15 An t-salm a bh'againn a roimhe.

23.5.15 Di-dòmhnaich—batt. rathad Cain. Church Parade. Cuairt sìos gu na Canadians.

24.5.15 An gas dol 'nar sùilean faisg air na bothagan. Dh'fhalbh sinn sìos taobh Ypres. Chunnaic mi Spàigean troimh Bhaile Vlamerbuighe. Leum mo chridhe nuair a chunnaic mi na Sìophartaich.

25.5.15 Bha'n oidhche raoir anabarrach àillidh, a' ghealach soilleir nuair a laigh sinn 'san raon gu cadal—na Breatunnaich dol a dhèanamh counter attack—sinne deiseil gu an cuideachadh. Cha robh an oidhche glé fhuar. Maduinn àillidh—latha eagallach teth, a' ghrian 'gar losgadh. 'San fheasgar dh'fhalbh sinn air fatigue taobh a tuath Ypres far an robh trainns an losgaidh air a dhèanamh. Chuir an gas air an ais an taobh againn. Dà Bhataraidh gun lorg orra.

26.5.15 Madainn àillidh—latha cadalach teth. Dh'fhalbh sinn 'san fheasgar do'n *firing line* nach robh ann. *Volunteers* 'gan iarraidh fhad's a bhiodh càch 'gan cur fhéin fo'n talamh. Chaidh sinn troimh bhaile Ypres air an turus. B'e sin an sealladh. Air an iomall a muigh gach tigh air a bhriseadh 'sa'

22

mhullach, gach balla breac bristeach. Beagan air adhairt gach balla 's eile ri làr, ach bloighean an sud 's an so. Ach an léirsgrios far an robh 'n teine—dubh uile. An eaglais mhór 's a mullach gun sgeul air—a ballachan 's a h-uinneagan àillidh bristeach ballabhreac—stiopull an sud 's an so shuas fhathast. Mìle eile troimhe, ach an t-aon tùr crèadhach, aol agus *brice*. Gach dachaidh air a leagadh gu làr. Tempora mutantur. (Na h-atharraichean a nì tìm.)

Ràinig sinn stéisean Zillebeke. Chaidh sinn do'n trainns agus á sin air fatigue chun an *firing line* far an robh A agus B a' cladhach. Oidhche bhriagha. Seiligeadh crois an rathaid —na Gearmailtich.

27.5.15 Latha fuar gaothar, gun dad 'ga dhèanamh. 'San fheasgar *fatigue* sìos taobh na Royal Scots a bha dèanamh *firing line* ùr—iaruinn throma. Chan eil fios càite bheil na Gearmailtich.

28.5.15 Latha gaothar. Air mo bhialaibh tighean 's a h-uile h-aon aca làn thoill. Gach nì air a sgapadh air feadh na cruinne.

29.5.15 Seiligeadh—anns an *firing line* troimh'n oidhche.

30.5.15 Seiligeadh eagallach—anns an trainnse bhig uarach; 4 air am marbhadh agus ochd air an leòn á 13th Platoon. Troimh'n oidhche a' cladhach communication trench—fàileadh eagallach. Cha do dh'fhairich mi riamh a leithid.

31.5.15 Latha briagha—seiligeadh eagallach a rithist—dol suas do'n trainns bhig uarach. Sùil ri cath eagallach a nochd.

1.6.15 Cha do thachair an cath a raoir. Bha sinn fad na h-oidhche a' leudachadh na trainnse—cluinntinn nan Gearmailteach aig an obair cheudna. Gealach mhór bhriagha troimh'n oidhche. Thòisich iad oirnn 'sa' mhaduinn 'gar seiligeadh. Chaidh R. M. Middleton a mharbhadh—dh'fhàg sinn an trainns a ghabhail sgath 's a' chommunication trench. Thill an triùir againn a chumail na trainns. Lean iad a' chuid bu mhotha de'n latha. Gach duine a' crùbadh ris a' pharapet 'ga dhìon fhéin.

Chaidh sinn do'n trainns 'san robh sinn a' cheud latha.

2.6.15 An déidh tighinn ás an trainns uarach thàinig sinn a raoir gu trainns Zillebeke Stéisean (Menin Road). Fhuair sinn cadal na maidne an diugh ach cha robh dad tuilleadh ann oir thòisich seiligeadh anabarrach eagallach. Bha am *firing line*

23

uile còmhdaicht an ceò 's am fùdar. Bha na 1st Gordons truagh dheth. Chuala mi an dràsda gur e aon Sergeant agus cóignear fhear a chaidh fhàgail a mach a 60 duine.
Chaill iad 80 duine. Chaidh Maclellan, Shanks agus Cooper a leòn.

3.6.15 Latha briagha—'san aon trainns. Seiligeadh a rithist ach cha robh cho dona.

4.6.15 Latha math—aon fhuam 'nam chluais.

5.6.15 Latha math—sàmhach. Seisear againn a' dol do'n *advanced post* a nochd.

6.6.15 Oidhche àillidh a raoir. Ceathrar againn a muigh air patrol. Laigh sinn greis a muigh 'san fheur, gach cluas furaileach—a' cluintinn feadhainn eile 'san fheur. An gunna caol 's a bhiodag deiseil. Faireachdainn neònach—rud-eigin mór a' gluasad troimh'n domhainn. Latha math gun dad a' dol ach snaipigeadh.

7.6.15 Bha sinn ag obrachadh a raoir timcheall air an trainns adhartaich. Cuid a muigh 'san fheur a' cumail faire. Am priobadh na sùla chaidh am *firing line* uile 'na lasair—machine guns a' dol 'nan làn chabhaig, 'san t-àite uile deàlrach le soillseachais. Shìolaidh gach nì sìos an ùine gheàrr. Latha briagh—anabarrach teth: fallus 'na shruthan sìos o'm mhullach gu bonn, ged nach eil mi gluasad ach 'nam laighe 'san trainns. Chan eil an Artillery a' dol an diugh cho cumhachdach. Tha ruideal aig na sligeachan seachad thairis.

8.6.15 Bha sinn a raoir a' dèanamh trainnse bhig nas fhaisge air na Gearmailtich na trainns adhartaich a' ghàrraidh. Chaidh ceathrar a leagadh agus an t-Oifigeach Hopkinson. Thill sinn chun an support moch air a' mhaduinn.
Maduinn àillidh cheothach, a' ghrian air cùl nan craobh 'na lasair dhearg—sealladh àillidh—an ceò a bha ag éirigh o uachdar na talmhainn ioma-dhathach an taobh so de'n t-sreath chraobh—sealladh cho àillidh 's a chunnaic mi riamh. Bha gach taobh sàmhach ach gun deach grunnan shlige chur thar ar cinn le ruideal mar charbad-iaruinn dol a sciod. Uisge agus tàirneanaich 'san fheasgar. Feasgar dorch sàmhach an déidh sin.

9.6.15 Uisge, uisge. Latha sàmhach. Cha robh 'n oidhche raoir fhéin ach sliobach air fatigue.

10.6.15 Dol a mach a raoir a ghlacadh Patrol Gearmailteach.

Cha do leòn Lt. Cook ach fear de na patrols againn fhìn. Latha anabarrach fliuch. Mo léine cho fliuch ri mo chòta ach bha an latha blàth. Dol do'n trainns a nochd.

11.6.15 Tràth a raoir dh'fhalbh sinn do'n *firing line*. Cho luath 's a ràinig sinn chaidh tilgeil a' phac 's chaidh gabhail an spaid. Bha chuid bu mhotha againn sgìth cadalach oir bha an t-àite cho fliuch 's nach robh e furasda cadal fhaighinn. Cha robh mi air móran cadail fhaighinn bho chionn trì latha. Thòisich sinn a' cladhach ag àrdachadh parapet a' chommunication trench, ach, ma thòisich, dhòirt an t-uisge 's gun dad oirnn ach sgàilean tunic agus bloigh léine. Leig cuid againn 'nar sìneadh 's uisge na dad eile cha chumadh gun chadal iad mur a biodh eagal peanais agus bha srann aca an déidh sin fhéin. Murdie as an dìg agus Iain Aonghais a' cumail faire. Seòras a' cumail faire orm fhìn. Dhrùidh e oirnn (Murdie a' cantainn an dràsda, a bheil cogadh ann!) Thill sinn do'n trainns fliuch. Cha robh dug out na dad eile ach piullag a chur mu ar ceann. Ach an so thàinig eubha gu dhol a roinn nan rations. B'fheudar falbh 's an t-uisge cur steall as mo dhruim. Cho luath 's a fhuair sinn seachad sin chaidh tionndadh a chadal. Seòras bochd gun àite suidhe — fodha gu ghlùinean — air an allaban. Seon Angus air mo làimh chlì. Jennings is Murdie an toill bheaga 's a' bhruaich 's water-proof sheet mu uachdar. 'Sann an sud a bha an srann a dh'aindeoin uisge. Rinn sinn dug out mhath troimh'n latha. Geon againn air pronnagan na lobha (lofa) a fhuair sinn mar annas. Rinneadh dug-outs troimh 'n latha 's bha sinn gu math comhurtail an déidh ṣin. Bha chuid bu mhotha de ar tìde air a chaitheamh a' dèanamh drum-ups an déidh sin.

12.6.15 Latha math, cadal math. Bha 'n obair cheudna a raoir againn. Durward 's mi-fhìn a' cumail a chéile gun chadal. Thill sinn leis an latha mar as àbhaist—uair a thìm aig *stand to*. Sin cadal math—abair srann.

13.6.15 An aon obair a raoir. Latha math. Seiligeadh mar as àbhaist an déidh meadhon latha. Sheilig na Breatunnaich trainnsichean nan Gearmailteach a' cur nan craobh 'nan smùid timcheall orra. Bha iad a' cluinntinn eubhachd nam bròn anns an *advanced post* againn fhìn. Thòisich iadsan an sin oirnne— *swish, bangs!* Chaidh marbhadh M. A. Cumming a stigh an *dug out* le peilear. Cha b'urrainn peilear a thighinn air ach air an rathad a thàinig e. Agus thàinig e an rathad sin. Dol a *shupport* a nochd.

14.6.15 An déidh an obair oidhche àbhaisteach thill sinn do'n trainns chùil mu chàileanachadh an latha. Latha math. Cadal math. Drum up! Na Breatunnaich a' seiligeadh nan Gearmailteach. Chualas gu robh *attack* mór gu bhith againn an ath oidhche. Còmhla ri Murdie is Seon Angus.

15.6.15 'Se latha màireach ceud co-latha Quatre Bras. Tha sinn a' dèanamh deiseil an diugh airson blàr iomraideach air co-ainm an latha. Tha h-uile duine deònach air slàraich eagallach a thoirt dhaibh. Latha math. Dèanamh deiseil gu ar n-àite a ghabhail.

BLAR YPRES, 16th JUNE 1915

16.6.15 Thàinig sinn an so—an trainns a rinn sinn o chionn cheithir latha deug—tràth air an oidhche raoir. Dhaingnich sinn mar a b'fheàrr a b'urrainn dhuinn e.

Thòisich an othail eagallach aig 2.50 a.m. Tha e dol eagallach; Eisd. A' bhratach gheal shuas. Hurrah! O sud aghaidh na talmhainn 'n a smùid! What a mixture of everything in Hell. Yellow and sulphurous gases, black, grey, all combining to make the scene awful—machine gun firing taking the poor—white flag again. Hurrah!—devils.

I never saw a more beautiful sun—yellowish orange.

Shaded by trees and murderous smoke—white flag again. Noise. Utter hell. Machine guns. Germans replying. Machine guns between the whistles, noise and creak, crac, slac of the gunnachan móra taomadh bàis. They are east of us—4 a.m. I did not feel it passing. Guns going yet. Machine guns all out. Oh—our own men attacking. They go like the devils. Is that a man falling? They straggle—a walk over, I think! I hope so.

Can't see any now. Bullets flying over the place. Going for the second line of trenches. Go at them, boys. There through the sulphurous clouds our undaunted heroes go.

The sun has risen above the trees. Sealladh àillidh. Red flags. Our brave men quite open to enemy fire. Moving quite freely digging out Germans or reversing the trenches. They are running back and fore—something in view. A whole line on horizon taking cover and running like blazes.

They are mar dhamh ann an ceò. The sun has risen now and beams with a calm propitious gaze. A shell has burst and intercepts the view. See them on the horizon running like blazes. A shell burst quite close. Undaunted heroes. On! On! On!.

A gap in the horizon. Our heroes going at it like blazes. Running along communication trenches. Swallows mad with fright still hovering over the line. Rifle fire hot. Shelling not so hot. They are shelling us now. Would give anything for the sight—almost life. Oh that I could jump out of the trench and join these.

Our boys took the hill. They are entrenching themselves on the summit. German prisoners passing on the other side of the communication trench. Hurrah! I can't see them for the crush at the hole. Machine guns going strong. Shells again. Pure seething hills.

In spite of the fire our own boys still unconcerned. Still digging on the summit. Pluck! Three lines of trenches taken. Very few casualties. Hurrah! I hope they can keep the trench. Machine guns still going. Rapid fire on the left. Hope it is ours. Action on the right. Mines bursting in the same direction. Another mine on the right.

Thought—one *little* life, what is it worth? Our own wounded running back across our own lines. A man of our own Coy Pl 13 killed—Neill. Other German prisoners—whole thing over —shelling. A wounded sergeant says he had to retire from the third line owing to our own fire. Some of the wounded who were lying out in the open were killed by our own shrapnel which swept the ground on all sides. Saw some German prisoners, some quite handsome looking. Still some passing. One poor fellow shot through the side.

6.30 a.m. Must rest if I can. Heard we have to go up to reinforce the front line—Mr Lake. I have no idea of him. We are retiring back to first line again. There a battalion charging. They are under cover on the crest of the hill. The sun is pretty high—hot work. D. Coy have gone. We are in from firing line. I was with the bombers here. The rest have gone forward to dig at the edge of the woods. I am writing this in a hurry. A stream of our own Coy came back wounded after 15 mins. in the open. We are here waiting to attack the Germans with bombs. Major Smith wounded. 11.25 a.m. We are being shelled to blazes. Sergt. Mackay hit in the stomach —his brother killed some time ago.

Heard Murdie and George were killed—hope to God not. D. Coy. went out to dig themselves in and to hold the wood to the left of Menin Road. It was here they got cut up—in the communication trench. It was here, mo léireadh, Murdie and George fell, I know, bravely. Fate in the case of George. He was wounded two nights ago and got the offer of going down the line. Though his arm was swollen he would not go. He would go into battle and die at his post. Fate—cruel fate— mo chrìdh.

I wrote this on the 17th.

Roy Topping was wounded beside me and we carried him on our backs across communication trench to headquarters. As early as 10 a.m. our men, the Lincolns, began to retire. The Wilts were bombed out of the 3rd and 4th line. The German counter attack was awful. Shell after shell came pouring in death all round. The atmosphere was thick with smoke of all colours. Earth thrown up, the world dark. Behind, the sun serene and calm but red in sympathy. Our trench was enveloped in sulphur smoke and gas and stink from shells. The K.R.R. regiment and Shropshire came up but the others retired in panic. The second felt inclined to do the same.

A shell landed in the trench, blew it in and exploded our grenades killing two K.R.R.s. High explosive shrapnel flew all round. More gas. The wounded came streaming across the road, some with smashed minds, arms, legs, crawling along. Piteous scenes—brave, plucky fellows. What blood.

I saw a captain (I think it must have been a captain) standing up on the road, shells falling thick around, hazy in the smoke, heedless of fire, still giving commands. The whole place was an inferno. Dark. Still giving commands. The Coy still holding out pluckily. Well done. Stretcher bearers at work. Some of them funks. Calum Macleod and J. A. Macleod, Leodhas, did well. Stuck it in spite of fire and smoke. Lt. Clarke wounded. Met my platoon but alas! that George and Murdie should be silent forever on the field of battle—Murdo, the gentle and generous idealist, George, the dreamy, fine, sensitive and noble spirit. Tears—tribute to their memory.

Returned to the supports today in the early morning—the 17th.

17.6.15 Fine day. Gloom over the company but still philosophically cheery. Shelling us. J. C. Forbes killed and A. Duncan wounded. We had 22 casualties. We have only 65 left of the double company. The Shropshires turned coward yesterday— flew all over the place shouting gas. Our Colonel held them with a revolver. We still hold the German trench line at least. We hold the hill—good.

Our own 1st Battalion is in the firing line. No-one knows when we are to be relieved. Our 24th day in the trenches.

I have just come up from the support trench—ag iarraidh pac Mhurdie agus Sheòrais. Bha iad air an sgaoileadh air feadh na trainns. Chuir litrichean Mhurdie cianalas orm—mhaothaich mo chridhe. Dealbh a bha aig Seòras—mo chridhe.

Feasgar fann. A' dol a mach a dh'obair. Diary Mhurdie. An fheala-dhà a bha againn. Cho sona, cho deagh rianail. A chaoidh gu bràth cha till a leithid. John A. has it.

18.6.15 Beautiful day. Tha na balaich uile sòlasach. Chaill na 1st Gordons grunnan mór dhaoine. Chuir iad na Gearmailtich as an trìtheamh sreath thrainns. Tha sinn a' dol a dh'fhaighinn as am màireach. Tha thìde againn ach b'àill leam buille eile fhaighinn air na Gearmailtich. Ach thig an t-am. Tha an artillery air tòiseachadh a rithist. Sin sibh, a bhalachaibh.

Something in the air. Tha na balaich uile sunndach suigeartach a' glanadh na trainns. Chan eil fios nach fhaigh sinn as a nochd.

19.6.15 Maduinn àillidh. Eirigh gréine cho briagha 's a chunnaic mi riamh. Or-dhearg ag éirigh eadar dà chraoibh a bha mar chéis di. Air dhi éirigh suas gus an duilleach bha blàthdhath òir timchioll oirre uile 's soillse dol 'na sradan am barraibh nan craobh, sealladh àillidh da-rìribh.

Gach duine ach an luchd faire 'nan cadal air làr an trainns. Feasgar. Bha grunnan dhaoine a' dol seachad aig crois an rathaid. Fhuair iad am mi-shealbh le seiligeadh. Chualas eubhachd chràiteach. Bròinean air choireigin buailt.

Thàinig tì chun an trainns againn an dràsda. Chaidh marbhadh R. P. Gordon agus leònadh Knox, Donald Rogers agus Maclean. Chaidh tiodhlaigeadh Forrest bochd. Bha e air call a nerve buileach glan. Bha a h-uile duine aca air tighinn a raoir 's am blàr air dol seachad. Rud a bha 'n dàn. Chaidh marbhadh bràthair R. P. Gordon an t-seachduin a chaidh as na 6th Gordons. Tha còrr is mìos o'n dh'fhàg sinn iad gus an tàinig iad a raoir.

20.6.15 Dh'fhàg sinn na trainnsichean a raoir. Dìreach nuair a rinn sinn airson fàgail shoillsich an raon uile leis na deàlraichean. Chaidh i am prioba na sùla 'na h-aon fhuam le bragail ghunnachan caola is mhèinichean. Bha dùil gun tigeadh oirnn tilleadh ach shìolaidh i an ùine bhig sìos an sàmhchar. Dh'fhalbh sinn, 's ann an dol á fàire thug mi sùil—an t-sùil mu dheireadh—air an raon 's a bheil Murchadh is Seòras trom 'nan cadal—'s a' chadal bhuan. Bha ar ceum sunndach gu leòr suas ceum-cùil taobh rathad Mhenin. Mus tàinig sinn chun an rathaid thàinig sinn gu sràid bhig a bha uamhasach bòidheach—eaglais mhór is cuid dith briste—caolais eadar shreath chraobh àillidh. Ràinig sinn Menin Road. is rinn sinn air Ypres. Chaidh sinn a steach air Menin Gate. B'e sin an sealladh—tighean móra gun dad air fhàgail dhiubh ach stuib bheaga. Làrach uinneagan le stiallan caola de'n bhalla timcheall orra—taobhan 'nam mìltean crochte ri ballaichean briste. Nas fhaide stigh am baile bha na tighean na bu shlàine. Thàinig sinn a mach as a' bhaile is choisich sinn taobh Vlamertingke—3 mìle a mach ás.
Bha mhaduinn ann mus do ràinig sinn cadal math. Latha math. Fhuair mi litir bho Sh. . . . Fhuair mi litir bho'n tigh a' cantainn gun deachaidh Rodaidh Lidy a mharbhadh. Bha mi anabarrach duilich. Smuaineachadh air Murchadh agus Seòras. Feasgar math.

21.6.15 Chaidil mi raoir còmhla ri Iain Aonghais MacLeòid. Chaidh sinn feasgar a null chun na 1st Gordons. Mo shòlas is m' aoibhneas nuair a chualas gun robh Rodaidh Lidy an tìr nam beò. Chaidh mi null gu B. Coy., 1st Gordons is chunnaic mi an sin Rodaidh le fiamh a ghàire air mar as àbhaist. 'S e a bha beò. Bha sinn shìos ann am Popermyle as a' mhaduinn a' faighinn bath. Fhuair mi léine ùr air mo dhruim. Hurrah! Baile mór brèagha. Eaglais àillidh. Mi-fhìn agus Iain is Seon Angus le botul poirt. Cur slàinte air na bha beò. Thill sinn mu thimcheall tìde dinneir.

22.6.15 Latha math. Na parades àbhaisteach. Thall còmhla ris na 1st Gordons feasgar.

23.6.15 Latha math. Bomb throwing. Sports a' Bhrigade. Chunnaic mi balaich nan Gordons. Feasgar briagha ged a bha e rud-eigin fann, a' ghealach a' ruith fo sgòth bhriagha bhòidheach 's an còrr de'n domhain fann, glas. Dol a chadal còmhla ri J. A. fo sgàil àite tàimh 16th Platoon — beagan fasgaidh.

24.6.15 Maduinn àillidh. Bomb throwing. Latha teth. Feasgar tug of war ris na 1st Gordons. Rinn sinn a' chùis orra. Ghabh mi-fhìn is Calum cuairt sìos am baile a tha ri ar taobh—a h-uile nì dha phrìs.

26.6.15 Maduinn bhlàth—baths. An déidh meadhon latha tàirneanaich is dealanaich 's na dhéidh sin tuil eagallach. An raon 'na h-aon loch uisge. Dhrùidh e air ar biobhaidh. Ar somagan air seòladh. Lean e gu anmoch—còrr agus leth òirleach de dh'uisge.

26.6.15 *Reveille.* 'S mi fhathast 'nam leth shuain. Na pìoban a' ceòl mar gum b'ann am bruadar—ceòl àillidh. Pleathag mhath gaoithe—tiormachadh math oirre. Lit an dara h-oidhche 's lit an oidhche eile.

27.6.15 *Church parade.* Uisge an déidh meadhon latha. Choisinn duais a' *Bhrigade* cur *tug of war.* Tharruing sinn na 1st Gordons an diugh. Ghabh sinn cuairt am baile còmhla ri balaich na 1st Gordons, Rodaidh Lidy agus feadhainn eile á Leòdhas. "Ach a Dhia," aig Ruairidh, "an dùil dé tha Nachadan a' dèanamh? 'S e an tòin aice tha luath a' priogadh a' bhuntàta." Bha co-sheirm againn a raoir. Thòisich sinn aig 8.30 p.m., a' ghealach dìreach ag éirigh. Chaidh bòrd a chur am meadhon na buaileig le lòchran air gach ceann. Beagan shlat bho'n bhòrd bha *brazier* le teine. Bha e cur solus caochlaideach air a' chomunn. Timcheall bha Gordonaich, Middleseacsaich, Royal Fusiliers agus cuid de na Suffolks. Bha ghealach ris is a' cur soillseachadh troimh mheanglan craoibhe bh'air mo bheulaibh. Gealach shlàn. Ghabh na balaich againn fhìn òrain beagan ro chianail. An fhidheall chuir ceòl an t-saoghail air ghleus. A' ghealach a' boillsgeadh, 's na craobhan tosdach. Chuir na Mids. spiorad eile 'nar measg, spiorad nach robh anabarrach glan ach a bha tuilleadh is aighearach. Sgaoil sinn roimh dheich—le òrdugh a' mhinisteir.

28.6.15 Latha briagha—an ceòl àbhaisteach. *Bomb throwing.* Shìos am baile còmhla ris na 1st Gordonaich. Air dhuinn a dhol do'n leabaidh thòisich an t-aighear. Cuid le smùideag bheag—b'e sin a' ghlòir. Cuid anabarrach gleusda—'nar sìneadh 's a' bhiobhaidh, chuir e smaoineachadh orm.

31

29.6.15 A rithist an ceòl àbhaisteach. *Tug of war.* Choisinn am platoon againn duais a' chompanaidh ach chaill sinn an aghaidh B. Coy. An ceòl ceudna troimh 'n oidhche. Shìos am baile còmhla ri D. MacKay.

30.6.15 An t-aon rud a rithist. Baths.

1.7.15 Latha math. Na h-aon pharades. A' dèanamh deiseil airson a dhol a shabaid ri fear am B. Coy. Boxing day in the Battalion. Feasgar dorch.

2.7.15 B.O.L. an diugh. Co-sheirm aig na 1st Gordons.

3.7.15 Na parades àbhaisteach.

4.7.15 Staff parade—church parade.

5.7.15 Latha briagha—mar as àbhaist—a muigh 'san raon a' driligeadh. *Boxing day* aig na Mids. 4th—feadhainn ac anabarrach math, gu h-àraid an Sergt. Major.

6.7.15 Troimh 'n oidhche raoir bha m'inntinn a' ruith air iomadh àite 's na chleachd mi bhi òg. Murdie agus Seòras a' tighinn air m'aire. Na parades àbhaisteach.
Iain dol a dh'fhaighinn dhachaidh an diugh—dol a shealltuinn air a "phiuthair."
Mo smuain a raoir air 25th May—feasgar nuair a chruinnich grunnan againn còmhla ri chéile—A. Duncan, Murdie, Iain, Seòras agus mi-fhìn. Cha do dh'fhàg mi a leithid de ghàireachdainn a riamh—a' tighinn air gnothaichean mar a bha is a tha, a h-uile duine againn 's a'mhial a' gabhail dha—mi-fhìn air mo léine a shracadh chun na h-achlais a' sireadh te. Gàire A. Duncan—chuala mi gun bhàsaich e bho chionn dha-na-thri làithean. Aon mhac athar. Dithis a nis as an *Advance Party* gu Bedford marbh—Duncan agus Cumming.
Melodian a' dol ri mo thaobh.

7.7.15 Lit an dara h-oidhche agus an oidhche eile lit. Sergeant D. Mackay—1st Gordons. A' tarruing as mu'n 1st.

8.7.15 Latha gaothar—fliuch feasgar. Sgrìobh mi gu W. G. Morrison. Iain 'na shuidhe ri mo thaobh a' bearradaireachd mar as àbhaist. E. fuireach ri "orders." Sùil aige ri dhol dhachaidh. Dol a shealltuinn air a "phiuthair" a dh'Obairdheathain. Sud a that J. R. a' dol a dhèanamh cuideachd. Leig J. A. an cat as a' phoc—oidhche aoibhneach.

9.7.15 A rithist na parades àbhaisteach. Dol air guard a nochd.

10.7.15 Air guard fhathast. Dheth feasgar. Co-sheirm aig a' Bhattalion againn.

11.7.15 Sunday. An obair Shàbaid àbhaisteach. Iain còmhla rium feasgar—abair gàireachdainn a' tighinn air iomadach nì—air Raoghal. A bheil cuimhn' agad—Ruairidh Lidy tighinn a nall a shealltuinn orm. Coltas silidh.

12.7.15 Cha robh dad a' dol ach gnothaichean àbhaisteach. Tràth air an fheasgar ghluais na 1st Gordons suas taobh Ypres —gach fear le dhrumag 's aon cheum comas—b' iad fhéin na balaich.

13.7.15 An t-salm a bha againn a roimhe. Uisge 'san fheasgar.

14.7.15 Mas a b' fhìor eugha cuideachaidh. Cuid 'san leabaidh, cuid a deànamh deiseil, b'fheudar togail oirnn, ach an déidh a dhol fo uidheam cha robh ann ach *emergency move*. Bha na gunnachan móra dol 'nan cabhaig—thug sinn an car á cuid.

15.7.15 Bha 'n oidhche raoir fliuch. Thàinig an t-uisge a steach fodham, dh'éirich mi le cliathaich fhliuch—agh Miugst 'san Earrach. An còrr mar a b'àbhaist.

16.7.15 Bha 'm *platoon* agam an t-seachdain-sa. Dh'fhalbh Fraser. Uisge feasgar. Sergt. Saul ag innse Miller's Tale, Reeve's Tale, etc. 'S ann dha fhéin a thigeadh.
J. A. ri mo thaobh a' sgrìobhadh mar as àbhaist.

17.7.15 Chaidh Iain sios an Line—gu cumail *"course"* ann am *machine gunnery*. Cha robh dad againn ach mar as àbhaist. Uisge gu leòr.

18.7.15 Sàbaid—searmon shìos aig na Liverpool Scottish. B.O.S. an diugh. Dol do'n trainns aig 4 p.m. Fhuair sinn tì air an turas. Air an làimh dheis Ypres far an robh sinn nuair a chaidh sinn suas gu Hill 60. Dh'fhalbh sinn á sin an tighinn na h-oidhche sìos taobh Zillebeke—gu math aoibhneach.

19.7.15 Bha 'n oidhche againn aig Zillebeke. Ràinig sinn an trainns roimh 12 p.m. B'e na Royal Scots a bha innte. Oidhche shocair gu leòr—50 slat bho na Gearmailtich. Slige an dràsda 's a rithist a' dol. Mu sheachd uairean feasgar chaidh mèinigeadh Chalair of Hooge—air an làimh chlì—chaidh ceudan slat do'n iarmailt. Bha na bombers againn shuas. Cha bu luaithe a dh'fhalbh am fùdar 's a bha i anns na speuran na thòisich na gunnachan móra—'s abair toìseachadh, fead, fead, fead, slac, slac, slac—mór fhuam.

33

20.7.15   Lean iad greis mhath de 'n oidhche. Bhris iad an trainns againn ann an àite. Leag iad craobh oirnn ach cha do mharbh iad duine oirnn. Chaidh J. D. M. Smith a ghoirteachadh 'sa' ghàirdean. Thog sinn am *parapet* a raoir.

Tha iad a' dol garbh an dràsda—trainns clì oirnn 'ga smùideadh do'n adhar. Chuala mi gun deachaidh Sergt. Allardyce as na *bomb throwers* a mharbhadh a raoir. Fhuair sinn an trainns. Chaidh Lieut. Erskine a leòn dona. Ghlac e *machine gun*—'s math a rinn thu, a laochain.

21.7.15   Bha na gunnachan móra dol garbh a raoir. Chaidh grunnan math ann an C. Coy. a mharbhadh. L. Cpl. Johnstone. *Stand-to* againn fad na h-oidhche cha mhór.

Latha math an diugh. Cha robh móran a' dol.

Chaidh Corp. Walker (new draft) a leòn a raoir.

Feasgar—na 9.2 againn fhìn air tòiseachadh. Soirbheachadh math leotha. An oidhche a' tighinn. Bha sùil ri relief ach chan eil iad a' tighinn a nochd. Am màireach, tha iad ag ràdh.

Latha fois an déidh sin. 'S an sin St. Eloi. Tha mi 'n dòchas gu'm bi tìde mhath againn.

22.7.15   Latha sàmhach—gun dad 'ga dhèanamh.

23.7.15   Bha sinn a' fuireach ri *reliefs* a raoir. A' fuireach, a' fuireach, 's an t-uisge a' dòrtadh. An toll a' feadaireachd. Thàinig làithean Uibhist 'nam inntinn. Mar a b'fheàrr a b'urrainn chaidh tòiseachadh a' seinn "Mo Chailin Bhoidheach Uibhisteach"—'s cha robh mi riamh cho sòlasach. Bha sinn a' fuireach ach cha robh *relief* a' tighinn.

An tighinn na maidne thàinig iad. Sia K.R.R.I. Fhuair sinn ás sliobach fliuch—suas *communication trench* fhada troimh'n choille. Bha nis latha ann. Lean sinn romhainn—sgìth agus fliuch, ceum air cheum, ceum air cheum. Ràinig sinn mu dheireadh, mu shia uairean. 'Nar sìneadh 'san raon fhliuch. Cadal.

Latha fois. Orderly Sergt. Thàinig balaich na 1st a nall. Chaidh Iain a' Ghriasaich á Tolastadh a mharbhadh agus Greenidh as an Rudha.

24.7.15   Latha math. Falbh do'n trainns a nochd.

25.7.15   Thàinig sinn do na *dug-outs* a raoir, St Eloi tràth air an oidhche. *Dug-out* bhriagha thioram. Ag obair troimh 'n latha a' dèanamh *Funk-trench*. J. A. baking mince—going at

10 p.m. A fine sight in the evening a fight between a German and a British aeroplane. The British dropped a bomb and set the German on fire. The latter's machine upset—a man fell out—machine still falling—controlled but flying upside down. Still in flames. Can't say where it fell.

26.7.15 Another day of work. Funktrench again. J. Forbes and myself digging a deep trainns—fed-up.

27.7.15 Chaidh iarradh air na Sergeants a dhol suas gu *dug-outs*. Capt. Begg. Chaidh sinn suas is chaidh innse dhuinn gun robh sùil ri ionnsaigh o na Gearmailtich. Chaidh cur air leth àite do gach Platoon is chaidh sinn a shealltuinn air an àite. Cha robh sinn dad ach air tilleadh nuair—slac!—chaidh a mhèin fhùdair. Sheall gach fear ris na fir eile. Cha deach facal a ràdh. Sin leum gach duine mach 's bha sinn deiseil ann an dà mhionaid. Dhùisg sinn càch. Shìolaidh am mor-fhuaim sìos is bha e seachad.

A rithist an aon obair an diugh. *Orderly Sergt.* fhathast. A' faighinn ás an trainns a nochd. Gealach bhriagha. Laighe gréine àillidh.

28.7.15 Fhuair sinn oidhche bhriagha raoir. Bha ghealach slàn, na craobhan tosdail, is neadan ceotha anns gach lag is mu bhun dorch nan craobhan. Bha ar cridheachan aoibhneach is fonn an anam gach fir a' co-fhreagairt an ceuma. B'e na Suffolks a thog ar n-àite. Air an t-slighe bha iomadh smuain a' tighinn air m'aire àch b'e balbhachd nan craobh ag éirigh tosdach eadar mi is fàire a ghlac a' chuid bu mhotha de m' smuain. Thachair na pìobairean ruinn is ghleus iad. Sguir na h-òrain air cluinntinn sgal na pìoba. Is sinn an tìr chéin fo ghealaich shoilleir shàmhaich. Tha na h-adagan corca is na torran a' toirt an fhoghair air m'aire—'s le sin bha mi sòlasach. Thachair réiseamaid Shasunnach ruinn ann an raon ri cois an rathaid—bha iadsan cuideachd aoibhneach. Ràinig sinn camp tràth air a' mhaduinn. Fhuair sinn tì agus chaidh sinn a laighe. Cadal math.

Cha robh fhios agam air dad nuair a dhùisg an t-uisge mi mu ochd uairean. Abair uisge—tuil bhàite. B'éiginn éirigh oir thàinig tuil fodhainn is os ar cinn. Cha robh air ach tòiseachadh air gàireachdainn. Latha tioram—gun dad 'ga dhèanamh.

Feasgar—'nar laighe cruinn le chéile. Tha e fàs fuar.

29.7.15 Parades àbhaisteachd. Chaidh an trìtheamh striop a thoirt dhomh an diugh.

30.7.15 A muigh a' cladhach troimh 'n oidhche raoir. Cha robh mi ro mhath—coiseachd timcheall air 12 mhìle dheug. Thill sinn tràth air a' mhaduinn. Cha robh mi ach meadhonach fad an latha.

31.7.15 A' cladhach 'sa' champ an diugh. Latha math.

1.8.15 Dh'fhalbh sinn a raoir a rithist a chladhach. Bha seiligeadh anabarrach a' dol air adhart air gach taobh. Cha chuala mi fhathast ciod a bh'ann. Aig Krunstat iad a' tighinn tuilleadh is faisg agus stad sinn. Cha robh mi fada ann gu faca mi marcach 'na dheann-ruith cur teine-dealain as an rathad—a' dèanamh fosgladh do charbaid-shlige shia-eachach. Spàirn is struidhlich nan each cha téid ás mo chuimhne. Chaidh trì de'n t-seòrsa seachad oir bha feum orra an àit-eigin. Chan fhuirich muir ri uallach. Dh'fhalbh sinn ann an cocladh ach ruith sinn caol roimh theine nan sligean.

Thill sinn tràth air a' mhaduinn.

2.8.15 Fhuair sinn cadal math a raoir 's troimh 'n latha an dé. Cheud latha air *sick parade*. Na balaich a muigh a' cladhach. Chaidh Archie MacDonald a leòn.

3.8.15 Dol a relìbhigeach na 1st Gordons a nochd.

4.8.15 Dh'fhàg sinn an camp a raoir timcheall air 7 p.m. Thòisich an t-uisge air an t-slighe—rathad sliobach. Latha mi-chomhfhurtail—a' cladhach "sap" a raoir a mach o'n Bhluff, air an làimh chlì.

5.8.15 Latha dhóruinn—an trainnse fliuch mi-chomhfhurtail. Feasgar anabarrach ciùin—fann fogharach. A' smuaineachadh leth chianail air anaman a dh'fhalbh.

6.8.15 Latha math—anns an trainns 305—support.

7.8.15 A' leughadh Oisein. Mionaid an dràsda 's a rithist.

8.8.15 Di-dòmhnaich—latha math. O thàinig sinn a nuas do'n trainns-sa bha agam ri toirt suas na litrichean gu càch. Mar bu trice b'ann as a' mhaduinn a bhithinn a' dol suas leotha—o'n a bha againn ri ruighinn H. Q. g' an iarraidh. Cianail anns an "dug-out"—fear a stigh a' leughadh anns an dugs airm is càch a muigh a' feitheamh. "Damn Haig," arsa Donaldson. Attack mór gu bhith aig Hooge a nochd.

9.8.15   Bha sinn ag obair a raoir nuair a thàinig Pratt a dh'innse gu robh attack mór gu bhith aig Hooge. Aon Bhrigade a' dol a thoirt ionnsaigh orra bho Sairchiary Wood 's am Brigade eile (6th Div.) bho'n Mhenin Road. Bha na Batteries timcheall oirnn dol a losgadh gu toirt a' char asda. Thòisich iad aig 2.45. Abair *bombardment*. Bha mo cheann goirt. " 'S iomadh balach bochd a tha dol ri talamh," arsa John A. Chuala mi feasgar gun deach am Brigade bho Mhenin Road fhiachainn gu teann ach gun robh am fear eile thairis ann an dà mhionaid. Chan eil sinn a' dol a mach a nochd.

10.8.15   Bha sinn 'gam buaireadh mar a b'fheàrr a b'urrainn dhuinn gu tarruing teine nan Gearmailteach. Latha math. Mi-fhìn is John A. a' leughadh 'san *dugout*. Sinn a bha sona. An déidh dinneir bha sinn a' cur bùird 'san rathad dìon. Ach thàinig mulad feasgar. Cha robh sinn ach air sguir do ar tì an uair a thòisich na "sligean frasach" a' tighinn. Slac—'s bha fras mu ar ceann. Chrùb sinn ri chéile. Chaidh gàirdean J. A. a bhriseadh 's a lot dona—is Tarmod Mór Nis, 1st Gordons, a leòn 's an druim. Fhuair mi ás gun sgròbag. Taing do Dhia.

11.8.15   Chaidh ar relìbhigeadh a raoir leis na 1st Gordons. Bha oidhche mhath ann. Bha 'n Coy. againn dol gu taobh Bty. Reserve aig Bedford House. Ràinig sinn, troimh chraobhan, an tigh—suas staidhre—rum dorch. Chaidh sinn a chadal an déidh litrichean fhaighinn. Chuala mi'n diugh gu'm b'e "spy" a bha anns an duine leis an robh àn tigh. Chaidh a mharbhadh.

12-17 Aug.   Bedford House. A' dèanamh dugouts. An dara latha mu dheireadh a' dèanamh redoubt. Chòrd an turas ruinn anabarrach math. Gunnachan móra gu leòr timcheall. Golf—'s an talla mhóir. Sinn 'n ar suidhe air an làr.

18-23 Aug.   An obair àbhaisteach. Sports Sergt. a raoir. Laighe gréine a raoir anabarrach àillidh—òr-dhearg, a maise a' sgaoileadh beag air bheag. A' sìoladh dha'n oidhche.

24 Aug./3rd Sept.   Anns a' champ. Chunnaic mi na 1st Gordons grunnan uairean Co-sheirm 'nam measg. Gealach shlàn mhaiseach. Fealla-dhà 's a' champ—làithean cho sòlasach 's a bha agam a riamh. Thàinig sinn a raoir (2nd Sept) do'n champ aig Ouredan—grunnan cheudan slat o'n àite 's an robh sinn roimhe. Uisge eagallach—a' tighinn troimh 'n t-seòrsa fasgaidh a bh'againn. Calum ri mo thaobh—Màclaggan

Smith agus Johnnie Ewan air mullach an sòlais air an taobh eile—a dh'aindheoin an uisge. Oidhcheannan briagha—ceò fhann.

24th August to 11th Sept. Aig Ourdredom 'san aon champ. Cha robh móran a' dol. Fhuair sinn dha-na-tri bhuidheannan ùra. Faicinn na 1st Gordons gu math tric. Anns a' mhess aca còmhla ri D. Macaoidh. Buidheann coibhneil. Sùil ri ionnsaigh fhuilteach. Bha sinn dha-na-tri oidhcheannan a muigh a' cladhach taobh Zillebeke.

12th Sept. Dèanamh deiseil airson na trainns.

13th Sept. Thàinig sinn do'n trainns a raoir mu dheich uairean —badan éisdeachd fad latha is oidhche. Chan eil fois do'n t-saighdear.

14th Sept. Di-màirt. Bha mi a muigh ag obair a raoir ann an seann thrainnsichean—toll an sud 's an so 'gan cur ceart. Air mo chois sìos is suas bho na badan éisdeachd (listening posts). Gu bhith air m'fhàgail a stigh a nochd. Sìos is suas an comm. trainns fad na maidne 's iad a' seiligeadh nan Gearmailteach.

15th Sept. Beagan as déidh dhuinn *stand to* fhaighinn seachad a raoir thàinig fios cabhagach gun deach glacadh buidheann leinn. Chaidh dà *phlatoon* an toiseach iarraidh agus an sin deichnear o gach fear airson am faighinn air ais. Dh'fhalbh sinn—gu dé nach robh air tachairt. Ach ghabh sinn romhainn; Lt. Addison air an toiseach. Bha'n oidhche dorch agus an t-àite làn tholl is pholl agus wèr. Thàinig sinn chun a' cheud bhad éisdeachd—agus an sin chun an dara fir. Bha Pratt an so air a leòn gu dona 'sa' ghàirdean. Cha robh sgeul aige air duine a bha còmhla ris. Laigh sinn greiseag an so. Chunnaic sinn buidheann a' tighinn—cuid de'n fheadhainn a bha còmhla ri Pratt.
Bha Corporal Booth agus Sgt. Johnstone agus 4 dhaoine gun a thighinn. Dh'iarr Addie orm fuireach agus cumail a' bhad éisdeachd. Chaidh e fhéin agus L. Cpl. Findlater agus 3 eile a mach an trainns—sùil ri Gearmailtich air cùl gach brugain! Thug iad a steach na balaich a bha a muigh. Bha Johnstone fhathast gun a thighinn. Dh'fhalbh iad a rithist. Chunnaic iad Gearmailtich anns a' bhad éisdeachd agus iad ag obair. Sin sguir an obair 's thill mise dha'n trainns gu cumail an òrdugh. Cha d'fhuair sinn glan idir an diugh—sìos an comm. trainns à rithist.

16th. Chaidh Sgt. Forbes le sniper agus bombar a mach mu chóig uairean. Bha iad anns a' bhad éisdeachd roimh na Gear-mailtich. Chunnaic iad an nàmhaid a' tighinn. Dh'fhiach orra le bombs. Ruaig orra. Thug sinn uapa bocsa bombs. Tha mi sgrìobhadh so anns a' chomm. trainns—'s iad a' seiligeadh. Chaidh leòn fear faisg orm.

17th Sept. Thàinig sinn a nuas chun nan supports feasgar a raoir. Bha sinn fad na h-oidhche a' dèanamh deiseil C2 air-son na h-Ionnsaidh. Norradh beag cadail anns a' mhaduinn. A muigh ag obair aig 11 a.m. Latha math.

18th. Chaidh sinn a mach gu C2 a raoir a rithist—an obair cheudna—corp an sud 's an so le chlarsach lom. Latha math. Bha sinn a muigh ag obair an diugh a rithist—a' dèanamh communication trainns.

19th. Chaidh ar relìbhigeadh a raoir. An cadal. Choisich mi iomadh ceum luaineach le cadal trom 'nam shùil. Sgal na pìoba bha 'gam dhùsgadh an dràsda 's a rithist. Cha robh móran ri dhèanamh an diugh.

20th. Di-luain. Latha math—na parades àbhaisteach. Oidhche bhriagha ghealaich. Canteen duty.

21st Sept. An t-sailm a bh'againn a roimhe.

22nd Sept. Bha mi cuairt a raoir thall còmhla ris na 1st Gordons —anns an t-sgt's mess aca—oidhche mhór. Chaidh sealltuinn thairis oirnn an diugh le K. of K. Tha e an déidh 8 p.m. an dràsda. Orders air an leughadh. Dol am màireach do'n trainns —gu ionnsaigh fhuilteach a thoirt maduinn Di-haoine. Chan fheum litir a bhith air giùlain duine againn.

10th Nov. 1915 Tha mi sgrìobhadh so ann an Campa Ripon— an campa Deas, an 16mh both. Bha'n latha gu math gaothach, ach tioram. Cha robh móran aig daoine B.E.F. ri dhèanamh —cuairt bheag sìos chun a' bhaile. Bha mi shìos feasgar a' sealltuinn air Ruairidh Greumach Seaforth.
Litir an diugh o Sh—— le dealbh.
O thàinig mi'n so air 5mh de'n mhìos, chaidh mo smaointean air ais iomadh uair chun an raoin fhuiltich a dh'fhàg mi air 25mh de Sept. gu'n oidhche dh'fhàg sinn an campa aig Oudre-dàm gu dhol do'n bhlàr.
Chaidh innse dhuinn air oidhche Dhi-Ciadain (22nd Sept.) gu'n robh sinn a' dol sìos là'rna-mhàireach. Thàinig an latha;

Chaidh gach nì a chruinneachadh a bhuineadh do'n bhattàlion
—gach nì a bhuineadh dhuinn fhìn chaidh a chur am poca,
is ainm gach neach air a phoca fhéin. Cia iomadh neach a
sgrìobh ainm nach fhaca riamh e?—ach fhuair iad an duais.
Roimh thuiteam na h-oidhche chaidh sinn an òrdugh gu falbh
—smuaintean blàth-chridheach a' dùsgadh suas an cridhe gach
neach, oir a thighinn cha robh ro-chinnteach. Chaidh bualadh
na druma, chaidh gleusadh na pìoba is ghluais na gillean le
ceum sunntach. Cha robh mo chridhe riamh cho àrd. Air
tionndadh a mach as a' champa, aig crois an rothaid, ceò
fhann air an fheasgar, iomadh saighdear fo sholus nam bùth
'gar spurtachadh, gach duine 'na bhràthair, thàinig smaoin-
tean 'nam inntinn nach di-chuimhnich mi ri m' bheò. Cha do
rinn sinn móran ged bha ar cridheachan làn aoibhneis—ach
'nar ceum bha buaidh na h-òige, agus sunnt na saorsa. Bha
réiseamaidean as ar déidh—té an déidh té a' tighinn air
fàire.
Thàinig an t-uisge oirnn mus do ràinig sinn Kruistrat—sìor
dhòrtadh. Lean sinn an t-slighe àbhaisteach—sìos Bridge 14
gu Zillebeke 's á sin gu Hooge—"thrice cursed Hooge," mar
thubhairt an Gearmailteach. Bha e gu math sliobach againn
dol suas an trainnse! Ràinig sinn mu dheireadh—is relìbhig
sinn na Lincolns. Chaidh cuid a mach a dh'obair—dh'fhuirich
mise a stigh an cois na trainnse—a' dèanamh gach nì deiseil.
Bha 'n trainnse gu math sliobach agus gach duine againn fliuch
chun a' chraicinn. Fhuair cuid againn beagan cadail.
Thàinig madainn Di-h-Aoine—madainn dhisearr. Chaidh na
gunnachan móra againn fhìn a ghleusadh gu h-anabarrach
teth an tighinn na maidne. Dh'fhàg sinn an trainnse 's chaidh
sinn sìos chun an 'support' ann an Sanctuary Wood. Thòisich
iadsan oirnne mar an ceudna—agus sin gu math teth. An
déidh ùine fhada thill sinn air ar n-ais.
Bha deisealachan a' dol air adhart fad an latha. Gach duine
againn fhuair plan na redoubt a bha sinn gu thobhairt: sinn
a bha aoibhneach.
Thàinig an oidhche. Mu uair 'sa' mhadainn di-Sathuirn
fhuair sinn balgam coifidh. Aig 2.50 a.m. dh'fhalbh sinn a
mach gu C.—seann trainnse a chaill sinn leis an 'liquid fire'
ach a fhuair sinn a rithist—ach bha i ro-theth. Chaidh sinn ann
an òrdugh—16th platoon air an làimh chlì agus C. Coy. air
an làimh dheis. Cha robh an seòrsa trainnse bh'ann ach da-

rìribh mi-chàilear, le léig 's le poll. Bha òpar math air gach duine againn.

Aig 3.50 a.m. thòisich an t-uamhas—na mìltean seilichean, le srann is gaoir seachad os ar cionn. Thòisich na Gearmailtich mar an ceudna—dòrtaidhean teine, torrunn uamhasach is fras iaruinn mu'n cuairt air gach taobh.

Air dhomh a bhith dèanamh àite dìon do 'Bhrechin'—balach òg a bha 'sa' phlatoon againn—chaidh mo bhualadh 'sa' cheann agus anns an druim. Chuir mi bandage mu mo cheann, is dh'fhuirich mi—dùil gu'm b'urrainn mi dol suas còmhla ri càch—ach cho luath 's a' chunnaic mi càch air an t-slighe cheirt thill mi gu casg a chur air an fhuil. Ràinig mi both an lighiche, is chuir W. Anderson aodach glan mu mo cheann. Stad mi greis an sin—duine 'n déidh duine tighinn—gàirdeanan is cinn briste. Capt. Reid is leòn troimh a sgamhan. Sin dh'fhalbh mi gu ruighinn Both Mhór ar lighiche aig Maple Copse. B'e sin an sealladh. Bha J. W. M. Smith agus A. Gordon dol sìos còmhla rium. Thug mi sìos R.S.F. suas ri mìle gus nach b'urrainn mi na b'fhaide ann.

Sealladh grànda—prìosanaich air am marbhadh 'san trainnse —duine na dhithis leinn fhìn' nam measg.

Cha do stad mi gus na ràinig mi Zillebeke—is á sin a rithist gus Dressing Station aig Kruistrat. Chunnaic mi grunnan math de na balaich againn fhìn an sin. Red X càr á sin gu clearing hospital a mach a Poperinghe; 'san fheasgar á sin gu Eataples. Chuir mi seachad an t-Sàbaid an sin. Di-Luain chaidh sinn gu Calais 's á sin gu Dover. Thàinig sinn a nall air Jean Breydel, Ostend. Fhuair dithis na thriùir againn air a' charbaid iaruinn an oidhche sin gu ruige Newcastle. Chaidh ar cur an Northern County Asylum. Chuir mi seachad 14 latha deug gu math sona an sin: operation air 6mh dh'Oct; mach air 14 mh: an Glaschu an oidhche sin.

Thàinig S—— do'n bhaile feasgar Di-Sathuirn; sona an sin gu oidhche Luain: Botanic Gardens; Bearsden: Ràinig mi'n tigh oidhche Mhàirt; oidhche ghealaich. Cha robh 'n loch a riamh cho bòidheach leam 's a bha i 'n oidhche sin, gaoth mhath a' séideadh, 's a' ghealach làn a' boillsgeadh os ar cionn: buaidh na dachaidh.

Bha mi aig an tigh gu madainn an 29mh nuair a dh'fhàg mi gu dhol a Luirg. Ràinig mi Luirg oidhche h-Aoine; Iain Dòmhnullach air mo choinneimh; fuireach còmhla ris gun a

dh'fhàg mi Di-Luain 1st Nov. Bha mi'n Obar-dheadhain gu oidhche Dhiardaoin, nuair a dh'fhàg sinn gu dhol a Ripon, Yorkshire. Ràinig sinn mu uair a latha—campa sliobard.
Cha do rinn sinn móran obrach o'n thàinig sinn an so—*Light Duty*. Chan eil moran aca 'ga dhèanamh.
Bha sneachd againn a nis o chionn ceithir latha—reothadh cruaidh.

18th Nov. 1915 Chaidh mo chur 'san *draft company* an diugh —55 againn. Dol a dh'fhalbh a dh'aithghearr—'s math dh'fhaoidte.
Latha aiteamh—ach fhathast tioram. Tha mi sgrìobhadh so anns a' mhess; 'g innse mun an charge (15 Sept.) agus iomadh nì eile 'san robh sinn 'san Fhraing.
O thàinig mi chunnaic mi Crichton, Isaac agus Macaulay, R. Graeme, agus Domhnull Macaoidh (Aignish). Chuir mi paipear oifigeachd gu Priv. G. A. Smith a chionn latha na dhà gu faighinn a theist orm.
Thàinig S. M. J. MacKenzie 'nar ceann a rithist. Chan eil a ghàirdean fhathast ach lag. Tha esan a' cur a steach airson coimision mar an ceudna—anns na 5th Gordons.

20th Nov. 1915 Chaidh mi far an robh C.O. 3/4th Sea. Hrs. Tha e a' dol a chur facal math a steach air mo thaobh—airson coimision.
Oidhche bhriagha a raoir—gealach làn. Chaidh mo smuaintean a dh'iomadh àite r'a linn. Fhuair mi litir o Iain Rothach—litir bhlàth-chridheach mar as àbhaist da bhith sgrìobhadh. Tha iad 'sa' champa; Alex Thomson còmhla riutha.
Chan eil oidhche nach eil argumaid mhór 's a' bhoth—mu bhoirionnaich, eich, saighdearan agus iomadh ceist mhór eile. Cumaidh J. Simpson agus J. Friseal a' dol iad: J. S. sona dona, aon fhillt—'g innse gach nì mu dheidhinn fhéin: Frisealach brogach, mór-lipeach, carraideach, éibhinn: onair 'nam measg. Profist dona, ach bàigheil ris a' bhochd; cridhe fialaidh fo aghaidh ghairg. Dolan—staid-phòsda; sona, socair. Chan eil dad a' dol air adhart an so: Lit an dara oidhche 's an oidhche eile lit.

23rd Nov. 1915 Chan eil móran r' a dhèanamh. Tha Sgt. Johnstone os cionn nam fatigues. Na caomhnadh e! Cha robh bheag agam mu'n ceann.

Chaidh sinn a dhriligeadh an diugh airson a' cheud latha—
còrr is leth-cheud againn a' dèanamh deiseal airson an ath
phasgain a dh'fhalbhas.

25th Nov. 1915 Bho nach do bhàsaich mi a raoir a' gàireach-
dainn!—aig Jock Simpson agus Fred Duthie—argumaid mu
chosnadh nam boirionnach: Simpson ag ràdh gun robh
iomadh té ann a' cosnadh 21/- 'san t-seachdain—bha bhean
fhéin 'ga dhèanamh. Air spliteadh sgadan dhèanamh té mhath
$10\frac{1}{2}$d 'san uair.

"An robh do bhean fhéin ag obair o phòs thu?"—arsa cuid-
eigin.

"Bha," ars Iain, "agus chan eil dad a nàire orm air a shon.
Boirionnaich le cridheachan móra dh'obraicheadh iad fhad 's a
bhiodh an cothrom aca."

"Atà," ars duine eile, "cha robh an dachaidh ach tuireabach
's an dithis a muigh—chan eil aon air an t-saoghal a dhèanadh
mo dhinneir-sa ach mo bhean fhìn."

"Fuirich ort," arsa Seoc, "Cha do thachair an saoghal riut
fhathast."

"Chan e duine a ligeadh le mhnaoi a dhol a dh'obair—'s gum
faodadh e fhéin cosnadh na dh'fhàgadh comhfhurtail iad le
chéile."

"Fuirich ort a nìs," arsa Seoc, "bha mise shìos is shuas. Fhuair
mise nighean 's cha bu duine mi nam fàgainn air a' tòin i.
Phòs mi 's cha robh sgillinn 'nam phòcaid—chaidh sinn a
dh'obair le chéile is reub sinn troimhe. Chunnaic mise i
tighinn a steach iomadh uair le not 'na dòrn."

"Gun smal a chuir air duine sam bith," ars F. Duthie, " 's
iomadh dòigh air am faodadh bean cosnadh 'not' agus cantainn
riutsa gur h-ann a' sgoltadh sgadain a bha i."

Ghàir Seoc còir. "Chan ann aon uair," ars esan, "ach iomadh
uair a chunnaic mi tighinn a steach i—salach, sliobasd liamach
(slimy)."

Ghàir a h-uile duine agus ghàir e fhéin.

" 'S urramach a bhean a th' agad," ars F. D., " 's mór a cridhe,
a charaid."—'s mar sin air adhart.

Duine sam bith a chanadh ri Seoc nach cosnadh a bhean còrr
agus not 'san t-seachdain bu bhreugair e o mhullach gu shàil.
'Slan leat a Sheoc a nochd.'

Tha mi'n diugh B.O.S. Dol am màireach gun an range aig
6.15 a.m.

43

30th November Thàinig sinn o chionn latha no dha do'n champa air taobh clì an rothaid faisg air a' champ eile 'san robh sinn. Chan eil an reothadh so 'nar fàbhar.

Chaidh ar sùil-thairiseachadh an diugh le Gen. Bruce Hamilton. Chuir e 'n Crois de Guerre air broilleach Sgt. Bridges. Cha do rinn sinn an còrr an diugh—bha fuireachd fadalach againn ris.

Bha mi thall a raoir a' sealltuinn air Ruairidh Greum. Chuir mi eòlas air Sgt. Finlay Greum—duine duineal, mór-inntinneach ach beagan ro-mhiannach air an dram—fìor Ghàidheal air a chaochladh.

6th December 1915 Cha do rinneadh ach glé bheag a dh'obair an diugh—bha 'n latha tuilleadh is fliuch. Bha mi far an robh Brigadier an diugh. Chuir e aonta ri mo Chommission papers. Chuir mi steach iad gu C.O. 3/4 Sea. Hrs.

Tha mi sgrìobhadh so 'sa' *Ghàrd Room, A.S.C. lines, Ripon.* Chaidh mi air gàrd aig 4 p.m. Tha dà dhuine dheug de na A.S.C. 'san aon rum. Chan eil moran 'ga dhèanamh.

Fhuair mi litir uaipe fhéin an diugh.

7th Dec. Fhathast air Gàrd. Cha robh móran r'a dhèanamh a raoir—sona gu leòr. Fhuair mi beagan cadail gun fhios.

Latha briagha—ach fuar. Mo smaointean 'dol a dh'ionnsuidh dùthaich m'òige is gu'n luraig a fhuair mo spéis.

Mo ghòraich!—mar a chanadh na cailleachan. Ach ciod as nàduraich! Nam bu bhàrd mi dhèanainn rann air àill' rìbhinn as nach eil feall. Mo shòbhrag chaoin o Thìr nam Beann.

7th Dec. 1915 Bha'n latha 'n diugh móran na b'fheàrr. Bha mi air fatigue fad na maidne.

Tha mi sgrìobhadh so anns a' mheas—grunnan math againn timcheall air an teine, 'gabaileis ri chéile—Mac Rob mór-mhaodalach, a' toirt dìosgail air a' chathair 's a bheil e 'na shuidhe; an t-Eireannach mór Mac-a'-ghlaisein, le phìob chriadha 'na phluic a' bearradaireachd mar as àbhaist.

S.M.—Dubh, le shùilean dearaiseach, conasail, le phìob fhéin 'na phluic. Tha'n aois gu mór air laighe air—tha 60 bliadhna 'gan innse fhéin—ach tha e dèanamh a dhìchill. Is duine ceart e ged a ghabhas e dram na dha a bharrachd 's as còir dha. Chaill e, bròinean, mac, anns a' chogadh-sa, 's chan fheàirrd e sin.

44

24th April -22nd May 1917 Grunnan làithean fa sgaoil roimh thilleadh do'n Fhraing. Dh'fhàg mi Glaschu 23 April—cuir cùl ri S—— 's ri mo phiuthair M——. An Lunnainn mu 5 a.m. 24th April. Dh'fhàg mi Lunnainn aig 7.50 a.m. gu ruigeadh Folkestone. Sheòl sinn—29 de na Sìophortaich—mu uair a latha. Am bàta làn oifigeach is bhan-leòn-altrum. Am Boulogne gu feasgar—an sin gu Etaples—dà oidhche is latha an sin. Suas madainn Dhiardaoin. Stad sinn ann an St Pol an oidhche sin. Gu ruigeadh Savy Di-h-aoine. Choisich sinn Di-sathuirn gu Maizieres far an robh am Battn. a' tàmh an déidh connspaid an t-23. 'San aon bhillet ri Bain (Cromarty) airson latha na dha. Co-sheirm no luth-chleas h-uile feasgar. Na balaich iongantach toilicht' le'n staid. Aimsir iongantach. Maille ri Dane 'sa' bhillet—bruidhinn mu iomadh nì—cuid faoin cuid cudthromach.

Dh'fhàg sinn Maizieres air Di-Sathuirn.

12th Céit Choisich sinn 18 Kilos. gu ruigeadh Y huts—latha bruicheil. An sin latha na dhà. A sin gu ruigeadh Arras. Billets an ìre mhath comhfhurtail.

Am baile briste an iomadh àite—gu h-àraid mullach nan tighean. Cuid mhór deth uile ri làr—an eaglais mhór gu h-àraid—aon chliathaich 'na seasamh—piolairean na team-puill labhrach air meud is maise. Obair beatha iomadh linn air a thur-sguabadh le innealan sgrios na linne so—gun truas gun bhacadh cogais. Grunnan bhodach is chailleachan, is chlann fhathast a' fuireach ann an seilearan nan tighean ri tionndadh a' mhuir-làin. Am measg na h-iorghuill, sàmhchar air leth—sàmhchar làraichean briste—an sàmhchar làn a tha chòmhnuidh far am b'àbhaist cridhealas is ceòl gàire.

Air maduinn Di-Ciadain—17th Céit—fhuair sinn fios cab-hagach gun robh na Gearmailtich toirt ionnsaidh thapaidh air ar sadadh air ais aig Rouex taobh clì an Scarp (tuath).

Dh'fhalbh sinn mu 10 a.m. gu bac na railway. Feasgar fhuair No. 2 & 4 Co. (mi fhìn ann an 4) òrdugh a dhol suas gu toirt air ais Columbo trench clì air Rouex. Anns an dol suas sheiligeadh sinn gu math teth. Chaidh mo bhualadh 's a' chorraig dheis. Lean sinn air ar n-adhart. Chuir an treòiriche iomrall sinn ach fhuair sinn ar n-àite anmoch 'san fheasgar. Chunnaic mi Coinneach Mór—á Brébhig—leis na 6th Gordons —anns an dol suas. Chaidh sinn a null gu C—— trench anns an dorch 's uile fliuch chun a' chraicinn—ach an àite Gear-

45

mailtich fhuair sinn an trainnse làn 8 A. & S. H.—gillean treun a chum i 'n aghaidh na h-ionnsuidh a thug na Gearmailtich anns a' mhadainn.

Latha 'rna mhàireach chuir an Dotair sìos an loinne mi gu innoculation an aghaidh tetnus. Chaidil mi an St Nicolas an oidhche—an Arras an ath oidhche—an sin gu Savy. An so fhathast.

22 *Céit* Latha fliuch gun dad 'ga dhèanamh. Litir o mo Shìne. Ciod air an t-saoghal as àillidh, as motha a ruigeas an cridhe na litir bhlàth-chridheil bho chuspair gaoil—facal na dhá (eadhoin) a bheir an rùn-cridhe gu faireachdainn 's an t-anam gu sòlas!

Mo Lilidh mhìn a dh'fhàs gun ghruaim
An Eilean gorm a' cheò
A dh'fhàs gun ghruaim an cois a' chuain
Milis caoin gun ghò.

Cha do thachair dad gu comharradh an latha.

23rd *Céit* Latha briagha—ach leisg agus dìth-obrach a' maoladh ar rùin is ar cnàmhan. A' leughadh an dràsda 's a rithist, ach mar as trice a' co-chòrdadh ris a' bhruit tha co-cheangailt ruinn—

"leisg agus cadal, tombac agus òl."

Chan e gu bheil sinn buailteach do thuilleadh is a chòir de dhibhe bhith 'gar cur o'n duaill.
Pasgan o mo Shìne.

24th *Céit* Latha eile gun dad 'ga dhèanamh. Losgadh le revolver 'san fheasgar—feasgar briagha. Còmradh ri Simpson mu iomadh nì—mu chrìch ar bith, ar beatha is nithean eile ta 'nan clachan-oisne 'san togalach.
Litir o mo Shìne.

25th *Céit* An aon bheath a nis.

26th *Céit* Cha do thachair dad an diugh airidh air iomradh air leth.
Chuir mi seachad greis de'n fheasgar a' coimhead còmhstri dhùirn an 9th Division. Anabarrach éibhinn.

27th *Céit* Latha na Sàbaid—Di-dòmhnaich. Seirbheis an diugh —"Dean t-uile dhìcheall airson gach maith."
Latha gaothar grianach. Chan eil dad 'ga dhèanamh. A'

sgrìobhadh litrichean—cur seachad tìde as fheàrr a tha 'nar comas an so.

Fhuair mi litir o Iain Rothach. Sìmplidh, dùrachdail mar a b'àbhaist.

A' co-mheas an Tiomnaidh 'sa Bheurla 'sa' Ghàidhlig. Thòisich mi aig an toiseach—cia air bith cho fada 's a leanas mi. Chan eil a' Ghàidhlig ro-mhath ann an àitean—*e.g.* "agus iadsan aig an robh deamhnan annta." Saoilidh mi gu'm biodh so na b'fhearr—

"agus iadsan anns an robh deamhnan." No—

"agus iadsan a' bh' air am buaireadh le deamhnaibh."

Fhuair mi pasgan beag gasda o mo Shìne. Ach cha d'fhuair mi an litir bu chòir domh bhith air fhaighinn an dé.

Cuairt 'san fheasgar sìos rathad-cùil a' bhaile—sàmhchar iongantach beò an duilleach nan craobh 's a' laighe fo sgàil am meanglan. Sreath air gach taobh de'n rathad—le 'm barrach gorm a' dùnadh os cionn. Soillse na gealaich troimh 'n duilleach anabarrach àillidh.

An cruithneachd cho àrd ri mo mheadhon—dìreach sàmhach is an t-aon bhith bèo 'nan lurgaibh mar gu'm b'eadh a' sìoladh a steach a dh'anam gach beò mu'n cuairt. Air oidhche de'n t-seòrsa so thig iomadh smaoin a steach air duine mu àite féin 'san Rùn—mu chuid fhéin de'n bhith tha bèo 'san uile chruitheachd—ach tha ar tuigse balbh fa chomhair na diomh-aireachd so; tha sinn ann an gleann an aineolais—cha d'fhuair sinn cumhachd sùla gu dearcadh troimh na creagan tha 'gar cuibhreachadh—no comas seòlaidh thar am mullach: smaoin gun bhonn ar n-eòlas.

28th *Céit* Beagan obrach an diugh—4 uairean a thìde. Eadar dhealachadh mór eadar e agus slaodarach dìomhanais. Chan eil dad coltach ri beagan obrach gu spéirid a chur 'nar cnàmhan.

Dealanaich 'san fheasgar. Colas an uisge oirr'.

29th *Céit* Dealanaich is tairneanaich anabarrach troimh'n oidhche raoir. Shil e gu searbh—sileadh 'san teant.

Beagan obrach an diugh—ach chuir am bùrn a steach sinn. Tha mi sgrìobhadh so 'nam shuidhe air mo leabaidh—Ross, MacChoinnich, Brodie, Day, agus Boyd a' leughadh—dibhearsan gu leòir an dara h-uair. Sìor shileadh am muigh. Fhuair mi trì litrichean o mo Shìne raoir—aobhar aoibhneis.

Fhuair i teleagram o Oifeis a' Chogaidh gun robh mi air mo leòn. Tha mi'n dòchas nach do rinn i cron sam bith—'s gun d'fhuair i mo litir ann an tìde gus sin a sheachnadh.

Cridhe lurach treun làn gràidh,
Binn cheòl gaoil 's gach ball.

30th Céit   Chunnaic mi Ruairidh Greum feasgar an dé. Bha e dìreach air tighinn chun nan 9mh Sìophortaich. Ghabh sinn cuairt sìos gu Aubigne is suas cùl Savy—am feasgar anabarrach bruicheil.

30mh Céit   Latha dorch trom an déidh uisge an latha 'n dé. Ag obair an diugh—lùth-chleas is biodag-chleas.

Chunnaic sinn aeroplane a' tuiteam an diugh. Thàinig i a mach á neul 's air a ceann dìreach sìos. Cha robh fhios aig an stiùireadair gun robh e cho faisg air an talamh. Chuir i car-a'-mhuiltein—'s an duine foidhpe—ach cha do dh'éirich mòran da. Thuit t-éile beagan air falbh uainn. Latha carrach. Ghabh mi fhéin agus Aonghas McLeòid as an Aird cuairt sìos taobh Aubigne—gun chùram air talamh. Lean sinn na caol-rathaidean calaidichte—an t-slighe anabarrach bòidheach, le duilleach beò-fhann, 's a' ghealach òg ag éirigh gu sgaoileadh a soluis: ròidean briagha fo bhuaidh an fheasgar shamhraidh. Air an t-slighe dhachaidh—suas taobh na h-aibhne—bha ghealach 'na h-àirde, is driùchd an fheasgair a' sgaoileadh cùbhrachd nan luibh air an àileadh. Dh'fhosgail so ar cridhe gu bruidhinn air làithean ar n-òige an cois a' chuain bhith-bhuain 's fo bhuaidh a thograidhean—suas is sìos mar bha esan: làithean air uairibh cruadalach do bhrìgh nan siantan, air uairibh sòlasach do bhrigh bàigh nan dùl agus ceileareadh nā h-òige.

Chaidh sinn troimh chladh nan saighdear a thuit 'sa' bhlàr. An so bha eadar mìle na dhà Breatunnach as a h-uile ceàrnaidh taobh ri taobh, gualainn ri gualainn, 'sa' bhàs mar nuair bu bheò. 'San dara leth bha saighdearan Frangach agus an iomall a' chladh grunnan math de'n nàmh 'sa' chadal—am bàs air sgaradh gach gamhlais 's gach naimhdeas, 's air an cruinneachadh 'san aon lian, fo gheasaibh air nach eil fuas-gladh gus an latha dheireannach.

31st May   An obair cheudna 'n diugh. Lt. Harris ag innse dhuinn mu Phatagónia—sgeula iongantach, ach air cur rithe. Cuairt eile a nochd le Aonghas McLeòid—oidhche shèimh le gealaich bhòidhich.

48

Smuaineachadh air ar n-àit 'san Rùn. A bheil sinn da-rìribh nas miosaile aig Cruithfhear Nàduir na tha na craobhan tha cur sgiamh air a' chruinne? A bheil beath' eil' ann duinn ach an té tha sruthadh 'nar cuislibh ann am fuil ar cré? Faic an t-each 's an duine taobh ri taobh gun deò—ciod e bha 'san duine a bharrachd air a' chreutair eile tha toirt seilbh dha air beatha mhaireannaich? Có as urrainn faicinn ciod e?—Có as urrainn dearbhadh fìor thoirt duinn? Chan eil dearbhadh air—ach dall-chreideamh ann an anam neo-bhàsail.

Fairichidh sinn iomadh uair buaidh na dh'fhalbh air ar n-inntinn. A bheil sinn ag obrachadh bho ar taobh a muigh, no, troimh ar cuimhne anns an taobh a stigh? A bheil dealas an sùla—fàilte chaoin-ghlan an anama—air faighinn bàs le fuil an cridhe? Lùigeadh sinn creidsinn nach eil—ach gu bheil sìor-bheò aige anns a' mhór mhath. Ach faodaidh sinn so a ràdh mu chreutairean eile—a bheil dìlseachdan eich a' faighinn bàis leis, no, a bheil fàilte chridheil a' choin dol a chaoidh á bith?—'s e sin ri ràdh na bha anns a' chreutair nuair a fhuair e bàs, air leth o'n bhuaidh tha beò anns na creutairean a bha, mar gu'm b'eadh, 'nan companaich aige. Cha toir smaoin nas fhaisge sinn air freagairt na ceist so—'s mar sin feumaidh sinn gabhail mar fhìrinn beachd agus rian beatha Chriosd mar an nì as àirde do'n urrainn duinn taige a thoirt, 's mar an rian as glòrmhoire slighe.

1d 2ra mìos an t-samhraidh Latha de na làithibh. Aimsir iongantach. Cuairt 'san fheasgar le A. McLeòid. Oidhche bhriagha. Air oidhche de'n t-seòrsa so thig brùchdadh do-sheachnaichte air an inntinn mu mhì-naomhachd an sgriosa a tha tachairt beagan air falbh a thaobh nàduir—a glòir sèimh air a bhriseadh le naimhdeas is eader-strì nan creutairean as airde (! !) —gun truas gun chaomhnadh.

2ra 2ra mìos an t-samhraidh Choisich sinn (am beagan a bha gann aig Savy) gu Bailleul, faisg air St. Pol. Thàinig am Batln. a nuas á Arras a raoir. Ghabh iad an trèine gu Tangue. Choisich iad á sin chun a' bhaile so.
Cha do thachair móran an diugh airidh air iomradh.
'San fheasgar ghabh Dane 's mi fhìn cuairt sìos taobh rathad Arrais—St Pol—an t-aon ghealach àillidh cur greadhnachais an cridh gach bith. Còmhradh mu iomadh nì. Air dhuinn tilleadh air ar n-ais chuir sinn seachad greis mhath ùine anns

a' Mheas—Dane a' dol thairis air mar a chaidh dha anns an trainnse—fhaireachduinn troimh'n bhombardment.

3.6.17 Stad sinn an latha 'sa' bhaile so—baile beag, mar as cumanta 'n so, air a chuairteachadh le craobhan.

Oidhcheanan bòidheach. Cuairt 'san fheasgar le Bain is Hermon—a' bruidhinn air iomadh nì.

4.6.17 Di-Luain—Choisich sinn tràth air a' mhadainn gu ruigeadh Valhoum, mu naoi mìle air falbh agus tuath. Chuir sinn seachad an latha 'n so. Chaidil sinn ann an sgoil bhig ann am meadhoin a' bhaile. Maighstear sgoile beag brogach—anabarrach coltach ri Rose, Peabail, Uibhist a Tuath.

5.6.17 Air chois a nis. Latha anabarrach teth—ar fallus 'gar dalladh. Bha mi O. Officer an diugh—dreuchd a' toirt 'na luib cruinneachadh an fheadhainn bha leigeil roimhe. Bha mi seachd sgìth 's iad mus do ràinig sinn. Cha b' e sin a mhàin a ràinig mi, ach peanasadh nan oifigearan troimh'n fheasgar airson na leig roimhe.

6.6.17 Latha briagha. A' snàmh anns an abhainn. Mi 'nam aonar anns a' bhillet—leabaidh mhath—seann chailleach anns an tigh; cailleach ghasda.

Céilidh am billet Bhain: an seann bhodach a' sealltuinn dhuinn a' mheadail a fhuair e airson Cogadh na Frainge 's Phruisia 'sa' bhliàdhna 1870-71: cuideachd an teisteanas a fhuair e—"Chan ann airson òir—ach onair is fìrinn."

Chaidh a mhac a leòn ciùirte. Chunnaic e móran cogaidh. Chuir so gu smaoin mi—gach ginealach 'san Fhraing air am fuileachadh a' dìon an dùthcha! Ciod tha ceàrr?

7.6.17 Dh'éirich sinn tràth air a' mhaduinn gu fàgail Lisburg. Chaidh am battalion a chruinneàchadh ann am buala-meadhoin a' bhaile far an d'fhuair sinn motor lorries gu ar n-aiseag gu Nordausque—astàr mór air falbh, tuath is an iar air St Omer. Ràinig sinn feasgar. Fhuair No. 4 Coy. àite tàimh anns an Chateau 'n cois muileann na sìde. Bha mi fhìn agus Bàin an comunn a' cadal ann an seòmar-mullaich—cùil bheag ghrànda.

8th - 14th Chuir sinn seachad an t-seachduin ag ionnsachadh dòigh-ionnsuidh (attack) an Corp-airm d'am buin sinn.

Cuid de na làithibh anabarrach teth.

Chaidh Bain do'n tigh-eiridinn le dhubhagan.

Mi-fhìn is L. Harris ann an teant fo chraobhan na liosa.

7 - 21 Bha'n t-seachduin-sa anabarrach le tàirneanaich is uisge air uairibh.

Air an 18mh—oidhche nan oifigearan—chaidh cuireadh oifigich an Division uile. Thòisich a' chuirm mu 9.30 p.m.— oidhche mhór—ceòl is soillseachain a' sìoladh ar faireachdainnean uainn. Chuid mhór 'gan dearg dhalladh. Dibhe gu leòir agus cus. Crìoch mu uair 'sa' mhadainn.

22nd Dh'fhàg sinn Le Tan (Nordausque) an diugh—gu ruigeadh Leederzeele. Cadal an teant air cùl a' mheas.

CUAIRT 'S A' GHAIDHEALTACHD

Fhuair sinn aon uair eile as agus ciod a b'fheàrr is bu docha leinn na aon chuairt eile measg nam beann. Ràinig sinn anmoch feasgar gleannan beag uaigneach an cois a' chuain agus an so dh'fhan sinn suas ri seachduin. Bha sìor-fhuam na mara rithist 'na chagaran-cadail duinn; torman nan allt 's iad 'nan deann 's 'nan caoir gheala sìos aghaidh nam beann bha aon uair eile 'na cheòl binn 'nar cluasan. Ciod a b'àillidh leinn na iad sin?

Ach b'fheudar falbh agus cùl a chur ri beanntan corrach ar gaoil. Bha còmhlan gasd againn 's a' charbaid nuair a shéid an fhìdeag 's a leig i ròthan aiste air a turus gu Glaschu. Cha robh sinn brònach agus bu bhreug e nan canainn nach robh beagan dibhe againn de dhriùchd an fhraoich. Bha gach duine sòlasach, gach teanga fileanta. Sibh-se do'n aithne Alasdair Caimbeulach aontaichidh sibh gur òranaiche gasd' e. Fhuair e cuairt bheag dhachaidh as an trainnse, 's bha e nis air a thurus a mach 's e còmhdaichte 'na chòta bian 's na fhéileadh geàrr. Thòisich na h-òrain. Bha eilean Luing a' faighinn molaidh, nach d'fhuair e ach ainneamh a riamh, bho'n Chaimbeulach.

> "Eileàn Luing, eilean Luing
> Eilean Luing, an t-eilean gleannach,
> An eilean Luing chaidh m'àrach òg
> Measg ghillean còir' is òighean banail."

Air dheireadh air cha robh gillean Mhic a' Bhruthainn á Eilean Luing. Chaidh "Cruachan Beann" agus "Beinn Dóbhrain" aon uair eile a mholadh an ceòl, agus gu bhinn cliù "Màiri Bhàn Og" á beul gach aon aca.

Bha dithis eile againn 's a' chómhlàn—Uilleam MacPheadrais

a thàinig a nall á Canada a chogadh airson a dhùthcha agus
Cailean Camshron á Eilean Mhuile. B'iomadh sgeula dheas a
dh'innis iad. Bu shona a rinn iad an còmhlan gus an deach sinn
uile fa sgaoil am baile Ghlaschu—Alasdair Caimbeulach do'n
trainnse fhliuch fhuiltich, fhuair; Niall, Uisdean agus Iain Mac a'
Bhruthainn gu Luing, dìon ar n-eileanan; Uilleam MacPheadrais
do'n réiseamaid do'm buin e; agus mi-fhìn—coma leibh càite.
   Buaidh leis na suinn.

   *So an sgrìobhadh mu dheireadh anns an leabhar-latha. Chan
eil e ag innseadh dé an latha a bh'ann.*

   B'ann air feasgar Di-Ciadain—feasgar fann foghair—a chaidh
an t-òrdugh a leughadh. Chan ann air nach eile cuimhne, oir
b'iomadh smuain a thug e gu gach duine bha tighinn fo sgòdaibh.
   Chuir mi am feasgar sin seachad an comunn fir na Gàidhlig an
campa nan ———. B'e sin am feasgar. Cha chan mi nach robh
dibhe againn bu treise na uisge fuarain nam beann, ach fóghnaidh
e ràdh gun robh sinn uile subhach gun neo-stuamachd sam bith
a' cur smal air ar n-aoibhneas. Bha MacAoidh, mar a b'àbhaist
a' dùnadh gach deasbuid le (caogadh-sùla) mór-ainm na
réiseamaid do'm buineadh iad 's a' cur eas-creidimh air chùl le
caogadh na sùla clìthe; Dòmhnull Dubh—bha esan mar a bha
e riamh, ag eileabanachd air cuid-eigin agus airson an t-Sagairt
deth——— có a bheireadh bàrr an gnìomh air na G———?
   Leig mi beannachd leotha is thill mi air m'ais do'n Champ
againn fhìn. Cha robh atharrachadh orra an so. Bha iad a'
tarruing á I. E. mar a b'àbhaist, agus esan le a ghàire sona 's le
a bhriathran ciuìne a' gabhail gach nì gu sàmhach socair. Cha
b'urrainn do dhuine a thighinn 'na chomunn gun a thighinn fo
bhuaidh a shòlais.
   Lath-arna mhàireach chaidh na bhuineadh dhuinn a chruin-
neachadh agus rinneadh deiseil gu falbh do'n trainns cho aotrom
's a bha feumail. Roimh thuiteam na h-oidhche chaidh sinn an
òrdugh gu falbh. Bhuaileadh an druma is ghleusadh na pìoban
agus ghluais na gillean—cia iomadh fear a ghluais nach do thill!
—le ceum lùghmhor sunntach. Cha robh ar cridheachan a riamh
cho àrd. Aig geata a' Champa bha bùth na dhà a' sgaoileadh an
solus air ceò an fheasgair agus a' lasadh suas aghannan nan

saighdearan a bha tiugh ri iomall an rothaid agus 'gar spurtachadh air ar turus agus a' guidhe dhuinn buaidh agus tilleadh slàn—agus fad na h-ùine ceòl na pìoba cur sùrd is spéiread 'nar cnàmhan. Aoibhneas cho dian cha b'urrainn toirt duine 'na luib.

Gu mi-fhortanach cha robh sinn fada air ar turus nuair a thòisich e a' sileadh—réiseamaid an déidh réiseamaid le ceum air cheum air frith-rathad sleamhuinn sliopard 's an t-uisge a' taomadh a nuas dìreach, sàmhach. Bha sinn uile fliuch chun a' chraicinn ach bha sinn aoibhneach agus air a' cheart oidhche cha do chuireadh móran diù ann am fliuchadh—oir nì na bu chud- tromaiche bha air ar n-aire.

Cha robh an trainnse ach slioparda nuair a ràinig sinn, agus mi-chathrannach, da-rìribh, an glaic-cadail a fhuair sinn an toiseach an latha. Chaidh am biadh a roinn mar a b'àbhaist agus deisealachdan eile a dhèanamh air choinneimh na maidne màireach.

NA H-ORAIN

So na tha air sgeula de na rinn e nuair a bha e
'na bhalach, agus anns na trainnsichean

COMUNN GAIDHEALACH OIL-THIGH OBAIRDHEATHAIN

B'e m' aighear gu bràth an sàmhchair feasgair
    Le gillean mo ghràidh bhith 'n Tall' na Deasbuid,
Rob Iain MacAoidh is Tormod Craiton
    Is Dòmhnull, mo charaid, an seanachaidh.

Bhiodh Eoghain an àigh is Iomhar a' carraid
    'S ag amharc fo'n t-sùil gu taobh nan caileag;
Bhiodh Dolly le smùid 's I. D. Macrath ann,
    'S e fàth mo mhulaid gun dh'fhalbh mi.

Bhiodh Sìne Dunbar 's a sùil air Craiton,
    'S Rob Iain le bàigh toirt gràdh dh'Fhorsaith ann;
Bhiodh Màiri is Seum le chéil ro-thaitneach,
    Toirt gaol a ghillean na Manachainn.

Mar chomunn na h-òig cha bheò dhuinn tuilleadh,
    Ach togaibh o'n bhòrd a' chuach g' ur bilean
Is òlaibh le sunnd deoch slàint nan gillean,
    Thug gràdh do Chomunn nan Garbh-chrìoch.

NUAIR BHA MI OIGEIL

Nuair bha mi òigeil
    Bu mhór an tàladh
Bhith siubhail mòintich
    A muigh air àiridh
Gun smaoin gun chùram
    Ach sùgradh mànrain
Ri leum nan dlùth-bhriosg
    Air cùl a' gheàrraidh.

Tha sin 'nam chuimhne
    'S an samhradh grianach
Ri teannadh dlùth dhomh
    'S mi 'n dùthaich chiar-bheann.
Ach m'aigne daonnan
    Tha'n gleannan ciatach
Nan seillean sranntach
    Is fann-phlub liath-bhreac.

CIANALAS

Gach stoirm a shéideas troimh na glinn
    Nì m' intinn thoirt air sgrìob
A dh'fhaicinn sealladh air an àit
    Ri gàir na mara tha strì:
Le ceilear binn a' chianalais
    Nì m'aignidh seòladh àrd
Le reul-shùil fharsuinn thar a' chuain
    Chuir duaill mo ghnè gu fàs.

Aig bruaich na fairge dosrach bàn
    Fo lighe allta lom
Chithear eileanach beag òg
    A' feòrach de gach tonn,
"O socair ort gu d' chladach ciar,
    A thuinn tha ruith air àrd,
'S innis dhomh cia as do thriall
    Is ciod an cian o' n dh'fhàg."

"Cia as mo thriall is ciod an ùin',
    O'n shiùbhladh leam air lom?"
Is ceistean sin a bhios dhuit dùint
    'S nach tuig thu tùs nam fonn
A ghairm gu cruth gach nì a chì
    Fo riaghladh spioraid iùil,
Oir anns an smuain a thug gu brìgh
    Bha mise sìnt 'san dùil.

AR CUAN

O'n dh'fhàg mi'n t-eilean mu thuath,
    Eilean an Fhraoich,
Cha chualas nuallan a' chuain
    A' slacraich ri m' thaobh;
Thà fàs-fhalamh aonaich am chluais
    A' feitheamh an fhuinn,
Le aiteal aisling' am shuain
    A' briseadh a chlaoidh.

Mo shòlas bhràth a thuinn
    Fheitheamh air tràigh,
Le 'n sanas bith-bhuan nach cluinn
    Am bodhar 'nan làid;
Cliath air cléith le lùb-chinn
    A' briseadh le gàir,
Fonn-ghaoir thonn o linn
    Gu linn 'nan ràn.

Do chuan m'eilean ghaoil,
    'San t-samhradh bhlàth,
A' sèimh-chluich fhann mu d' aois
    Le fonn-shruth bàigh;
'S gach geodha seinn, 's na caoil
    A' bileadh phòg,
'S air tràigh a lioba-leaba chaomh
    Ri d' ghiullain òg.

NAM BIODH DHOMH SAORS'

Nam biodh dhomh saors'
Mo lurag bheag chaoin,
    A ghleannan an fhraoich
    Gun siùbhlainn suigeartach;
Aotrom sunndach
Dh'fhalbhainn cuide riut,
Ghleannan an fhraoich,
    A ghaoil, 's tu fuireach rium;
Aotrom sunndach
Dh'fhalbhainn cuide riut.

Gum b'aotrom mo cheum
Aig buille mo chré
    Is rìbhinn nam beus,
    Mo reul, a' fuireach rium;
Aotrom sunndach
Dh'fhalbhainn cuide riut.

Ach fad uat, a ghaoil,
Tha mise 'san raon,
   'S am peileir beag caol
    Le sraon a' cluiche rium;
Aotrom sunndach
Dh'fhalbhainn cuide riut.

'S do cheileir ro-bhinn
Tha daonnan a' seinn
   'S a' cumail mo chinn
    O rinn gun fhuileachadh;
Aotrom sunndach
Dh'fhalbhainn cuide riut.

Nuair sguireas an àr,
'S gheibh mi do làmh,
   Gur h-aoibhneas bhràth,
    A ghràidh, ar subhachas;
Aotrom sunndach
Dh'fhalbhainn cuide riut.

O MHULLACH CRUINN

Ma chì thu'n nighneag
   As caoine, nàrach
Do'n tug mi 'n gaol sin
   Nach fhaoidteadh àicheadh,
Thoir soraidh bhuams' thuic'
   O bhàrr nan àrd chrann,
Gu ìghneag rìomhach
   Nan sùl as tlàithe.

Chan fhacas gruagach
   As suairce gàire,
Chan fhacas uaisle
   An gruaidh as blàithe,
Cha chualas filidh
   Cho milis mànran
Ri ceilear gleusda
   O bheul mo Mhàiri.

Tha còrr is bliadhna
    O'n thriall mi, ghràidh, uat,
O'n rinn mi seòladh
    'S mi leòinte cràiteach:
Ach b'e mo shòlas,
    Bhith 'n dòchas làidir
Gum faighinn còir ort
    Le d'phòig, a Mhàiri.

Nuair thigeadh luath oirnn,
    An uair a' ghàbhaidh,
An eubha chruaidh
    Sinn dhol suas air mhàgaibh,
Bhiodh meud mo rùin duit
    Cur sùrd am ghàirdean,
'S ag innse dhòmhsa
    Gur tu mo Mhàiri.

B'e d'anam caoin-gheal
    O d' shùilean àluinn,
'S do bhilean mìne
    Le'n rìomhachd nàduir
A ghlac mo ghaol duit
    Le bith neo-shàsaicht,
Nach gabh dhomh lìonadh
    'S mi cian o'm Mhàiri.

REUL NAN NIGHNEAG

Reul nan nìghneag mo rùn,
    Reul nan nìghneag mo luaidh,
Reul nan nìghneag mo rùn,
    Ainnir fhinn-chneas nam buadh.

Nuair a bha sinn òg le chéil'
    Taghadh dhìthean nam bruach,
Thug mi gaol dhuit nach géill,
    Ainnir fhinn-chneas nam buadh.

Cha bhi cuirm ach gun cheòl
    Is gun seòl ac' air duan,
'S iad as aonais na h-òigh,
    Ainnir fhinn-chneas nam buadh.

Chi bhi aighear, cha bhi spòrs
    Cha bhi sòlas ach gruaim
Far nach bi mo nighneag òg,
    Ainnir fhinn-chneas nam buadh.

Bidh air chuimhne gu bràth
    Do chruth àluinn 's do shnuadh
'S tu mar chanach mìn a' chàir,
    Ainnir fhinn-chneas nam buadh.

Ma chì thusa 'n nìonag tha nàrach
An rìbhinn as faoilte nì gàire
    Bidh Cupid beag dall
    Le shaighead air ball
'Gad fhàgail ro-fhann air an àrfhaich.

SORAIDH

O soraidh leat mo rìbhinn shuairc
    O, soraidh bhuan o'm féin duit,
'S tu barraicht' anns gach mais' is àill,
    Mo luraig gràidh, mo cheud ghaol.

Mo rìbhinn donn as bòidhche cùl
    Gun tug mi ùidh thar cheud dhuit
'S ma ghabh thu diomb, mo nìghneag chaoin,
    Mo ghaol chan aom ri t' éile.

O 's òg a leònadh leat mo chré
    Le d'ghathan gaoil 's bu gheur iad,
'S nach fhacas leam na bheireadh bàrr
    Am mais' is àill air m' eudail.

O, 's iomadh am bu shòlas leam,
    Bhith suidhe làimh ri m' cheud-ghaol
Do shealladh sùl—b'e sin mo rùn—
    Mar lainnir-iùil dhomh féin e.

Do bhilean mìn' bu mhilis leam
    Nuair phòg mi'n gleann nan geug thu,
An t-alltan beag a' mire thall,
    'S mo chridhe null cur séisd air.

Mo chailinn donn tha rium an diomb
    Théid innse leam mo sgeul ort,
Mar lilidh fhinn-bhileach gun chlì
    Mar shòbhrach mhìn ri gréin' thu,
O soraidh leat mo ribhinn shuairc.

COTA DHOMHNUILL

A Dhòmhnuill na biodh eagal ort,
    Chan innis mi có thu,
Ged ghabhas mi mar chuspair dhomh
    An cleachdadh eudadh ùr,
A thog an tàillear iomraideach,
    Bha cheàrd aige o thùs,
Nuair rinn e dhuit an còta beag
    Do'n tug thu móran ùidh.

Is cinnteach mi gum b'uaisle leat
    A leithid bhith cho teann
An gleachd an aghaidh tuaileasan
    Na gaoithe b'fhuaire greann :
Mo bheannachd aig a' chaora sin
    A shaothraich dhuit a' chlòimh;
B'fhìor nàmhaid do'n t-siataig i
    'S thu tric am muigh 's na tuim.

63

Bu toinnte, tacail ceàrnagach
    Do cholas anns a' chòt
Bu chulaidh fharmaid chàich thu ann
    Le d'hobal 's le do sheòl:
Gach aon a gheibheadh boillseadh ort
    Le d'mhàl 's a' ghaoth 'na chùl
Ghàireadh iad 's tu spàgail ann
    'Na bhuaraich mun a' ghlùin.

Bu dleastanach an t-seirbheis sin
    Rinn Putan Beag an Aigh
Cha chuimhne fhaicinn fosgailt ort,
    Bu bhreug gum fac Iain Bàn:
Is dìmeas cha bu chòir bhith air
    An stoc bhiodh suainte teann,
Mu d' bhràigh 's a null mu d' achlaisean
    'S air uairibh car mu d'cheann.

Nach saoil mi-fhìn gu'm faic mi thu,
    'S am Putan Beag ro-ghlic
A' sparradh ort do chòta
    Mar chunnacas e gu tric,
'S an deòthag bheag as caoine leinn
    A' còmhrag ris mu chneas,
Toirt earail air 's 'ga òrdach'
    Far am faight' nas leòir a theas.

Gus 'n dùin am bàs mo shùilean-sa
    Cha diochuimhnich mi'n còt,
Do mhagaileis ro spàgach ann
    Le d' chonaics 'na do dhòrn;
Air chuimhne bidh mo chearachail caomh
    Le chasan bonnchar trom;
Cha tig ort smal ged sgarte sinn
    Le fonn-shruth mór nan tonn.

HO-RO SIUDAIBH I

Gur h-àillidh an t-eilean
    A dh'àraich mi òg,
An t-eilean tha cathraid
    Ri tuinn a' chuain mhóir
Tha 'g iadhadh nan cladach
    Bu mhiann leis na seòid
A chogas na stuaghan
    Le cruas an cuid dhòrn.
        Ho-ro siudaibh i
        Searraibh i siùbhlach
        Seang lios tana
        Bu mhath leam air iùbhraich.

Bu bhòidheach an sealladh
    Bhith faicinn nam bàt
A' sìneadh 's a' searradh
    'S a' sitrich gun tàmh,
Gun fhiamh oirre sgoltadh
    Nan garbh thonnan bàn
Do'n gilead cop cìrein
    Air turas gu sàl.

Nuair bhùireadh na tonnan
    A shlacradh nan long
Bhiodh sgibhein is sgoran
    Cur deanal am bhoinn,
'Nam ruith chun a' chladaich
    A dh'fhaicinn nan sonn
Gun bhròig, gun bhonaid,
    'Nam ghiullan beag lom.

Chan fhaigheamaid samhail
    An sgioba sin thall
Measg Gàidheil 'san dùthaich
    No idir measg Ghall,
Cho innsgeanach iasgaidh
    Sgiobalta treun,
Cho ealamh an gàbhadh,
    Cho tàbhach ri feum.

65

Sin agaibh na gillean
    'S am bonnan an sàs
Gu diongmhalta tapaidh
    'S an tac air an ràmh:
Is cnapan de'n fhairge
    'Nan sad ac gun sgàth,
'S an iùbhrach mar sgarbh orr'
    A' falbh air am bàrr.

Dhuibhse nì feòrach
    Ciod òigridh a th'ann
B' olc mur a h-innsinn
    An cliù 'na mo rann:
Sin Ilib, an lasgair,
    Nach gealtaich roimh mheall,
Is Rugais 'san toiseach
    Gu leum leis a' bhall.

Faic Totaidh le chuman
    A' taomadh an tuinn
Is Gurais le bhotaig
    'Ga cumail o shlinn,
Is Iain an Aighe,
    Fìor thaghadh an t-suinn
'N taobh shuas thobhta bràghad
    Mac làmhaich a' chruinn.

Ged is tu th'air an deireadh,
    A Phuthair mo rùin,
Nach obadh an cruadal,
    Cha lughaid do chliù:
Gur d'aoibhneas an còmhnuidh
    Muir-chathaidh 'na smùid,
'S ged shéideadh an gailleann
    Cha rapadh do lùths.

Sin sgioba a' bhàta
    A b' àillidh fo siùil,
Sàr ghillean calma
    Gun dalmach 'nan gnùis.
'S ged bheucadh an fhairge
    'S i searbh le muir cùil
Dh'fhaoidt' earbsa ri eòlas
    'N fhir òig th'air an stiùir.

GUR TROM FO BHRON MI

Gur trom fo bhròn mi
   O'n sheinn an t-òigear,
Mo charaid Dòmhnull,
   An t-òran caoidh
Bha'n inneas deòirean
   An eu-dòchais
O'm shùil a dhòirteadh
   Air sgàth nan saoi.

Gum feum mi'm fàgail
   Le gean 's le gàire
Le 'n rùn 's le 'n càirdeas
   'Se dh'fhàg mi trom:
Gach ceòl is mànran,
   Air meud an tàlaidh,
Nì tìm cuir sgàil air,
   Air bhlàths nam fonn.

Ach mairidh sìorraidh
   An ceòl as miaghail
Bha seinn a chian duinn
   'S bu mhiannach leinn;
Ged bhios ar ciamhan
   Le aois air liathadh
Bidh fonn ud tiaraint
   'S a rian a chaoidh.

'S e fonn a' chàirdeis
   Am fonn as àghmhor
Tha'n dlùths ri nàdur,
   Gun bhàs da ann;
Cha chrìoch do lànachd,
   A chill, ge làidir,
Am fonn, neo-bhàsmhor,
   Gu bràth a sheinn.

AN TALADH

O cuir 'nam chuimhne
    Ceòl milis m'aoibhneis
A bha gach oidhche
    'Nam chluais 's mi òg:
Tha guth mo mhàthar
    's i seinn a' ghràidh dhomh
Gach là 'gam thàladh
    'S i cràmh fo'n fhòd.

Tha guth mo mhàthar
    A ghnàth 'g am thàladh,
Tha 'n t-sùil bu tlàithe
    Fo fhaoilt ro-chiùin,
Le gaol neo-shàsaicht'
    Gun chrìch, gun bhàs da:
Mo mhàthair ghràdhach,
    Paisg m' anam, m'iùil.

MO SPIORAD IUIL

Ciod an ceòl binn o'n doimhne tha ri seinn
    'S a' tàladh m'anam gu léir?
Ciod na bilean caoin tha labhairt fo smaoin
    'S a' maothachadh uile mo chré?
'S e an ceòl binn Tè a dh'ainglean nan nèamh
    Le anam mo mhàthar 'na com,
Na h-aon bhilean ciùin chualas o thùs
    'Si 'gam phasgadh am mùirn is mi lom.

Aithne o Dhia chaidh a dhùsgadh am chliabh
    Gu 'm b' thu mo dhìon 's mi maoth,
'Gam fholach fo d' sgèith 's nach b'urrainn do ghnè
    Bhith sàsaicht a chaoidh le do ghaol;
Ged bhithinn 'gad chràidh gun chasg air mo ràn,
    Ri m' ghàire b'àillidh bhiodh d'fhaoilt
Nuair chrùbainn fo sgàth na h-achlais bha blàth,
    Ach dh'fhalbh thu ghràidh—'s cha taobh.

Chualas an t-seinn o dhoimhne na h-oidhch'
    Is thogadh ri d'chruinn do shiùil,
Dh'fhiosraich do chàil o bha thu 'nad phàisd'
    Nach robh dhuit 's a' bhàs ach cliù,
's gun siùbhladh tu null chun Chomhairle thall
    Neo-fhann air sgiathaibh do chiùil,
Gu d'chòmhnuidh bith-bhuan, an làthair an Uain,
    Gu sgaoileadh do bhuaidh 'na Iùil.

SEALLADH BHO MHULLACH SHLEIBHTE

Monadh is sliabh,
Sin iad mo mhiann,
    Air òg-mhaduinn ghrianaich àilt,
Le cùbhradh an fhraoich
'S e fhathast fo bhraon,
    Cur sùird is suigeart am chàil.

Uiseag air sgéith
Ruith cheileir o beul
    Ard ag éirigh 's na neòil;
Is binneas a teud
A' dùsgadh am chré
    Caoin aiteal a thréig a ghlòir.

Aghmhor a' ghrian
Glòirmhor a rian,
    'Na mórachd a' lìonadh nan speur;
Sealladh a gnùis
A' togail, mar thùis,
    O shùilibh nam flùr gach deur.

Ag òradh nam beann
'S a' rìomhadh nan gleann,
    Gach lochan is allt fo fhaoilt;
'S ag éirigh an àird
An cuan làn bàigh
    A' tàladh eileana gaoil.

Cana is Rum
Is Eige nan Sgùrr
   Le lainnir na h-aoibh mu'r ceann;
'S aig iomall na fàir',
Nas annsa gu bràth,
   Tìr m'àraich, no Innse Gall.

CHA TOG MI FONN

(An t-Eilthireach)

Cha tog mi fonn a nochd le sunnd,
   Cha tog mi fonn ach brònach,
Cha tog mi fonn a nochd le sunnd,
   'S tu thar nan tonn air seòladh.

Bu bheag mo smaoin nuair dhearc mo shùil,
   Air d'ìomhaigh chaoin ro-bhòidheach,
Gu'm biodh mo chridhe a nochd cho trom
   'S gach latha 's oidhche 'n tòir ort.

A dh'aindeoin dìchill thug mu bhuaidh
   Is fhuaireas leat an gaol mi,
Ged b'fhiosrach mi gu'm b'fheàrr dhomh fuath,
   Bu luaithe rinn mi claonadh.

Mar eidheann bha mi toinnte teann
   Mu d' bhith, b'e crann mo dhòchais,
Ged spìonadh grad mo fhriamhan leat
   'Gam phianadh le mór dhòruinn.

Cha b'e aon nì a labhradh leat
   A rinn mo chridhe leònadh
'S a dh'fhàg mi trom a nochd ad dhéidh,
   Ach thusa m' eudail, seòladh.

A riamh cha d'innseadh leam mo ghaol
   Do'n òg-lùb ùr as bòidhche,
Oir chualas leam gun robh do ghràdh
   An cridhe b'àill a' còmhnuidh.

Chan fhiachainn fiaradh chur 'nad rùn
'S thu cùl a chur ri d'dhòchas,
Ach ghuidhinn thu bhith sona chaoidh,
Ge bith ciod dh'éireas dhòmhsa.

(1913)

SORAIDH

Nach éisd thu ri m'òran 's mi ànrach is sgìth
'S gun neach air a' chruinne do'n iarrainn-sa inns'
    An acaid as leòn domh a dh'oidhche 's a là,
    'S mi dh'easbhuidh do bhòidhcheid a thàlaidh mo ghràdh.

Nuair dh'fhalbhainn air chuairt leat gum b'uallach mo cheum
Ri cluinntinn do dhuanaig rinn uaibhreach mo chré:
    Bhith ruith am measg nam bruachag 's e dh'iarrainn gu bràth
    Mar a bha sinn, a luaidh, nuair a fhuair thu mo ghràdh.

Tha ceilearadh nan eun 's iad a' seinn air an fhraoch
A rìs tighinn am ionnsaidh o'n am sin a dh'aom,
    Is duanag na tuinne ruith air an tràigh
    Tha 'g innseadh gach uair dhomh gun d'fhuair thu mo ghràdh.

Tha buille mo bhroillich fo chianalas trom
A' dèanamh mac-talla do shlacraich nan tonn,
    Bha sluisreadh a' chladaich, bu mhiann leinn a ghnàth,
    Ag innseadh gach uair dhomh gun d'fhuair thu mo ghràdh.

A chaoidh soraidh bhuan, soraidh bhuan leis a' ghleann,
Leis na h-aonaichean àrda 's le gàirich nan allt,
    Na cladaichean àillidh chan fhaic mi gu bràth,
    Ach m'anam bidh ri cluain far an d'fhuair thu mo ghràdh.

(1913)

BEAN AN T-SEOLADAIR

Thusa tha seòladh a' chuain,
S do chiamh air liathadh an càs,
Ri faicinn na mara ri bùireadh
'S a smùid an còmhnuidh 'gad chràidh,
Smaoinich air nighneig bhig, bhòidhich,
'S a sùilean dùint ann an suain,
Le rosg caoin eadar i 's eòlas
Gach sòlas tha dhòmhsa 'na gruaidh.

Nuair shéideas na stoirm an àirde,
'S a reubas mar sgàilean na siùil,
Gach crann a' dìosgail le uamhas
Gach tonn a' bualadh fo thùrs',
'S thu 'g amharc air eudann nan speur,
'S gun dòchas r'a leughadh 'nan clàr
Leig d' aigne a dh'ionnsaigh na h-ìghneig
Tha ùr dhuit mar dhìth, 's i fo bhlàth.

Cuiridh sin spionnadh ad dhùirn
Le sùrd a chogadh nan tonn,
Thig an Spiorad tha riaghladh nan dùl
Is claonaidh ri d'ghaol nach mall;
Cuiridh e 'n onfhadh gu sìth
Is leagaidh gach stuagh a ceann;
Caidlidh sinn ann an suain
'S ar n-anaman cluain mu d'chrann.

(1913)

CIANALAS

(*Rainn airson deilbh-chluich*)

Chunnaic mi mo mhàthair chaomh
O mhullach cruinn an druim a' chuain;
Chunnaic mi, o chunnaic mi
Mo mhàthair gaoil an druim a' chuain.

Chunnaic mi a sùilean làn
    Le meud a gràidh, o dhoimhne chuain,
'S bhòidich mi gun siùbhlainn sàl
    Gun thuilleadh dàl o dhruim a' chuain.

Chunnaic mi troimh stoirm na h-oidhch'
    O mhullach cruinn an doimhne chuain
Eudann sòlaimt' m'athar chaoimh
    'S a smuain gun chlaoidh air druim a' chuain.

Chuala mi an ùrnuigh ghrinn
    'S 'nam chridhe chinn le gràdh an duan-s';
Cha robh romham nuair a thill
    Mach o'n chill ach leacan fuar.

                                    (1913)

LUACH NA SAORSA

    Stad tamul beag, a pheileir chaoil
    Tha dol gu d'uidhe : ged is faoin
    Mo cheist—a bheil 'nad shraon
        Ro ghuileag bàis?
    A bheil bith tha beò le anam caoin
        Ro-sgart o thàmh?

    An làmh a stiùir thu air do chùrs'
    An robh i 'n dàn do chur air iùil
    A dh'fhàgadh dìleachdain gun chùl
        An tigh a' bhròin,
    Is cridhe goirt le osann bhrùit
        Aig mnaoi gun treòir?

    An urras math do chloinn nan daoin'
    Thu guin a' bhàis, le d'rinn bhig chaoil,
    A chur am broilleach fallain laoich
        'San àraich fhuair?
    'Na eubha bàis a bheil an t-saors'
        O cheartas shuas?

73

Freagairt

'Nam shraon tha caoin bhith sgart' o thàmh,
'Nam rinn bhig chaoil ro-ghuileag bàis,
'S an làmh a stiùir bha dhi 'san Dàn
    Deur ghoirt do'n truagh;
Ach 's uil iad ìobairt saors' o'n Ard,
    Troimh'n Bhàs thig Buaidh.

      (1915 *A' cheud latha 'san trainnse*)

Eadar Theangachadh 1916 (Ripon)
(Auld Scotland counts for something still) le Tearlach Moireach

MORACHD ALBA 'N TIR O THUATH

Bha 'm bàrr 's a' cheann, 's a bhuain tigh'nn dlùth,
    Ach ùin roimh dheannal dian nan speal
Chaidh osann cogaidh thar na tìr,
    A luaisg an rìoghachd uile 'n seal.
Cha d'fhuaireadh leinn an t-aobhar oillt,
    'S o'n dhùbhlanaicheadh sinn cho dalm'
Cha robh aon fhreagart ann do'n fhoill
    Ach leantuinn dlùth ri cliù na dh'fhalbh;
      'S théid iomadh sàr a chum a' bhlàir,
      Le fearalachd nan gleann 'na ghruaidh,
      Bheir teisteas àrd, a dh'aindeoin càs,
      Air Mórachd Alba, 'n Tìr o Thuath.

'Sa' chaisteal mhór tha cumha bròin
    'S an t-uasal òg air tuiteam thall,
'S iomadh both, gun bhlàth's gun tuar,
    Tha banntrach thruagh 's i deurach fann:
Ach aon a thuiteas airson saors'
    Théid triùir o Thìr nam Beann 'na àit,
Nì spuir na h-iolair dhèanamh faoin
    'S a h-iteach ludradh 'sa' mhuir sàil;
      Oir tréin na tìr tha uil' air thì
      Gu taisbeanadh le'n gaisg 's le'n cruas
      Nach dèan ar nàmh, gun pheanas, tàir
      Air Mórachd Alba, 'n Tìr o Thuath.

Tha'n aoismhor tigh'nn le sgairt 'nan ceum,
    Is dealt an t-sléibh 'nan ciabhaibh bàn,
Air sàilibh ghiullan, ruiteach òg
    Ach deònach toirt na bòid thug càch
Is iomadh lian an tìribh cian
    'M bu lotach lannan giar ar flath,
Ach nuallraich pìob cha d'ghluais a riamh
    Cho deatamach an sluagh gu cath:
        Mas cunnart mór cha lugh ar deòin
        A dhol fo armachd null thar chuain,
        Thoirt fianuis fhìor, le buaidh 'san t-strì
        Air Mórachd Alba, 'n Tìr o Thuath.

J. K. F.

Cha b'ann an teas a' bhlàir a rinn thu 'n gnìomh
    Ach acrach sgìth an déidh diachainn cath,
'S sinn uile tìtheach faighinn àite-dìon
    Bho'n doininn dhuirch. Is iomadh euchd a thagh
Thu mach o chàch 's dh'fhoillsich dhuinn do bheus
    Ach toirt do chùil 'san làraich bhrist do'n truagh
Is laighe muigh, b'e sin a thug an deur
    G'ur sùil: b'ann duit-sa a mhàin a' bhuaidh
O chridhe throm, nach d'chuir a riamh do chùl
    Ri nàmh, ge bith a choltas, seinneadh càch
Mu euchdan calma, misneach dhall gun iuìl,
    Tha 'n cliù as àirde buaidh do d' ghnìomh-sa mhàin.

75

NA MAIRBH 'SAN RAOIN (GEARR-LUINNEAG)

Bu shunntach iad a' dol thar raoin na strì
    Tha'n sin 'nan laighe sìnt' an sàmhchair bhuain,
Bu bhlàth caoin-aiteal gràidh o mhaoin an cridh
    Mus d'thaom dubh-dhìle 'bhàis gu shlugadh suas.
Le ùmhlachd dhaibh a thuit an teas a' bhlàir,
    Gu socair, sàmhach, cladhaich uaigh ri'n taobh,
'S 'nan éideadh-cogaidh adhlaic iad 'san àit
    An d'thuit ri làr le bàs do'n nàmh 'nan glaodh.
Tog tosdach iad, do'm b'euchdan òirdhearc cliù,
    'S le mùirn is dàimh leig sìos an ceann 'san tàmh
Nach crìochnaich tìm troimh shìorraidheachd an iùil;
    Dùin suas an dachaidh, 's fàg an neòinean àillt
A' seinn am beus 'san deothaig mhilis chiùin;
    'S mar chuimhneachan tog crois air laoich a bha.

                                 (1917)

JANUARY 1917

Do Iain Dòmhnullach (Finsbay, Harris) 10 a dh'aois, a bhàthadh an oidhirp a charaid a shàbhaladh

    Do chridhe beag treun 'na làn
    Gu latha luain 'na thàmh,
    Le d' shùil bha dùint do'n bhàs
    Fo thàladh cobhair do d' dhàimh.

    Is eiseamplair sin do chàch
    Nach d' fhuair an tomhais de'n ghràdh
    A mheasas an-iochd mar nàmh
    Do'n chridhe le'm b'àill an call.

    Mar sin cha do smaoinich thu riamh
    Ach ceilear na h-òig 'nad chliabh
    Thug freagairt toileach do'n rian
    A dh'fhoillsich an Crìosd nach meall.

    Is dhuit-sa, mhàthair, tha bròn
    Ri caoidh do lurain bhig òig,
    Mo bheannachd bhuan ad chòir
    Thug lòn do'n chridhe gun fheall.

AR N-EILEANAICH NO AN TALADH CUAIN

O ur n-òige 'n cois nan tonn
    Chualas tràth leibh tàladh cuain
'Gur duanadh; buan am fonn
    A shnìomh 'nur beath' cho teann a dhuail.

Fad shìneadh cuantan fo ur sùil,
    'S an tàladh-taibh 'ga sheinn 'san Dàn,
Dh'earb ur beath' ri dàimh nan dùl,
    Is thog ur siùil le misneachd àrd.

Marannan-cùil is sruthan toinnt'
    Tric 'gur siaradh o bhur cùrs'
Ach 'sa' mhisneachd fhuaireadh leibh
    Bha fillt' a' bhuaidh as airidh cliù.

'Na mil beatha fearg nan dùl,
    Fhuair sibh mórachd leis gach càs
A dh'ionnsaich dhuibh dé slighe 'n rùin
    'S am biodh an coinneamh ceart do'n bhàs.

'S nuair thàinig eubha 's am ur feum
    Lìon sibh bhealach mar bu dual:
Far 'm bu chunnart bhiodh na tréin
    A chual o'n òige 'n Taladh-Cuain.

                                      (1918)

SGRIOBHAIDHEAN EILE

An déidh an dara cogaidh

IAIN ROTHACH

THA mi buidheach dhe na fir-dheasachaidh airson an cothrom so thoirt dhomh gu clach bheag a chur air càrn-cuimhne mo dheagh charaid, am bàrd Iain Rothach. Bu mhath leam sin a dhèanamh an ainm a luchd-eòlais uile, 's mi làn chinnteach nach eil aon ann dhiubh nach rùnaicheadh cur air a chàrn a' chlach a b' eireachdaile is a b' urramaiche bhiodh 'nan comas; oir bha Iain de'n chòmhlan bheag sin de'n chinne daonn' a tha gu nàdurrach dàimheil, duineal, caomh is iriosal 'nan uile ghluasad a measg dhaoine.

Thàinig a' bhuaidh sin a bh'air gu làidir a steach orm, 's mi bho chionn ghoirid a' dol troimh sheann phàipeirean, bileagan a th'agam an gleidheadh airson an toileachais-inntinn a bheir iad dhomh gach uair a leughas mi iad. 'Nam measg tha dhà no trì a litrichean agus dà earrainn bàrdachd a chaidh agam gun a chall de na chuir Iain thugam ri linn a' chiad Chogaidh Mhóir. Gach uair a leughas mi iad, tha e a' tighinn cho faisg dhomh 's gu bheil gach subhailc uasal a bha ceangailte ris cha mhór cho beò fa m' chomhair 's ged a bhiodh e-fhéin fhathast 'sa' cholladhaonnta ri m' thaobh.

Ach dhuibhse do nach b'aithne e, chan eil ann an Iain Rothach dìreach ach ainm. Cha d'fhuair e latha ann airson a chliù a dhol am farsainn a measg dhaoine. Le sin bu mhath leam beagan a ràdh a dh'fhaodas rud-eigin de bheachd a thoirt dhuibh air a bheus, mar dhuine, mar shaighdear 's mar bhàrd.

Thàinig e bho dhaoine sgairteil dèanadach, maraichean is saighdearan, a bheireadh iad fhéin troimh 'n t-saoghal, ach an cothrom a bhith ac', cia bith àite dheth sam faodadh iad a bhith. B' athair dha Iain Rothach a bha uair-eigin 'na sgiobair air a' bhàta, an Water Lily. Rugadh e an Suardal, an sgìre an Rubha, an Leódhus air an 10mh latha de'n Dùdlachd, 1889; thogadh e an Aiginis, 's fhuair e a' chiad chuid de a fhoghlum ann an Sgoil a' Chnuic. Ged a choisinn e uair is uair an t-àite a b'àirde anns a' cheasnachadh airson bursaraidh a bheireadh e do Sgoil Mhic-Neacail, an Steòrnabhagh, cha do ghabh e an cothrom. Roghnaich e an àite sin a bhith 'na *phupil-teacher,* dìreach a chionn a' bhàigh a bh'aige ri maighstear-sgoile a' Chnuic. Saoilidh mi nach robh call sam bith aige dheth, oir leugh e móran anns na bliadhnachan sin, gu h-àraidh de bhàrdachd Shakespeare, de an tug e leis caoban taisealach air a theangaidh. Is iomadh uair a thìde a chuir e

81

seachad le leabhraichean a' bhàird sin, 's e leis fhéin an lagain na mòintich no an geodhaichean a' chladaich, agus farsainneachd nan speur is tulgadh is neart na mara a' toirt fàis is doimhne do a mheanmna, do smuain 's do aignidhean.

Bha a' bhuil: oir ged nach robh a theanga riamh àrd air a ghualainn, bha a fhreagairt anabarrach faisg air; 's nuair bhiodh na h-oileanaich a' deasboid mu phuing sam bith, thigeadh Iain a mach, as a ghuth thàmh, le dha no trì a shreathan bàrdachd, cuimseach is eirmseach, a dh'fhosgladh dorsan ùra dhaibh air raointean nach robh roimhe sin a dh'aon chuid 'nan sùilean no, dh'fhaodadh, 'nan comas.

Ged a bha ùidh mhór aige ann an leabhraichean, cha do chum sin a riamh e gun a chuid fhéin a bhith aige a dh'aotromas na h-òige. Aig an am a bh'ann, bha bailtean Leódhuis làn a dhaoine —inbhich is òigridh—agus, a chionn sin, làn a dh'fhearas-chuideachd, céilidhean is bainnsean, bàtaichean is iasgach, agus gach cur-seachad eile a bha mór aig òigridh. Bha am muir gu h-àraidh 'ga tharraing, 's bu tric a gheibhte e-fhéin agus a chom-panaich sgoile a' cur seachad an fheasgair shamhraidh ag iolla 'san Loch a Tuath no 'sa' Chuan Sgìth.

Thàinig rian nam *pupil-teachers* gu crìch mus do chrìochnaich e an cùrs, agus bha aige ri dhol a Sgoil Steòrnabhaigh airson trì bliadhna eile, nì a chum rud-eigin fadalach e ach a thug dha móran toileachais agus a dh'fhàg làrach air inntinn is air a spiorad fad làithean a bheatha. Bha e aig an am sin, mar a bha e a riamh, ciùin, socair 'na nàdur, oir cha robh fothalan no faoin-luaisgean 'na ghnè; ach bha dealas is greasad laghach 'na inntinn, rùn-gu-gnìomh, a bha 'ga sparradh gu rud-eigin duineil a dhèanamh, 's gun fhios ro-mhath dé, is gun an cothrom ann. Tha cuimhne mhath agam air an oidhche dh'fhiach e-fhéin agus Iain MacSuain nach maireann, ciad cheann Sgoil a' Chaisteil, an Steòrnabhagh, agus fear eile, ri briseadh troimh na ceanglaichean le gabhail do'n arm. Thug Coinneach Mór, an seàrdseant, aon sùil air an fhear bu shuaraiche de'n triùir agus rot e dhachaidh iad. Thug iad oidhirp no dhà eile, ach cha deach leotha. A nis dé ghluais Iain aig a robh toiseach anns gach nì a dh'fhiachadh e ris gu oidhirp a thoirt gu an saoghal mór a thoirt fo cheann? Is ceisd i sin nach eil furasd a freagairt, ach saoilidh mi gur h-e bu phrìomh aobhar e bhith ag ionndrainn rud-eigin a dh'fhiachadh gu dhùbhlan feartan inntinn is cuirp a bha e a' mothachadh ann fhéin —a dh'aon fhacal, rùn-gu-gnìomh.

B'ann aig an am sin a thuig a chompanaich an toiseach gum bu bhàrd e. Chuir Ard-cheann na Sgoile mar dheuchainn orra iad sgrìobhadh ealaidh am Beurla, nì a rinn Iain am *blank verse.* B'e an cuspair a ghabh e Eilean Leódhuis, agus a measg gach inneas a thug e air, rinn e tighinn air Ruairidh Dall mar am bàrd a b'ainmeile a rugadh 'san eilean. Air iomall a' phàipeir mu choinneimh sin, mas fìor na chuala mise, sgrìobh am breitheamh, Professor Grierson, gur h-iongantach gun rugadh bàrd a riamh an Leódhus a b'fheàrr na Iain fhéin. Agus dheidheadh barrachd air aon duine leis an sin.

B' è an dux a bh'air an Sgoil a' bhliadhna dh'fhàg e gu dhol a dh' Oil-thigh Obair-dheadhain. Rinn e obair mhath an sin, gu sònraichte ann am *mathematics,* meur de'n fhoghlum anns an robh e air na fìor bharraichean. Bha an toiseach 'na rùn dreuchd fearteasaig sgoile a thoirt a mach, ach aig deireadh na dara bhliadhna chuir e roimhe a' mhinistrealachd a leantainn, 's bha e dìreach a' dèanamh deiseil airson a dhol do Cholaisd nan Diadhairean, an déidh dha inbhe M.A. fhaighinn, nuair a thòisich Cogadh a' Chéiseir.

Ghabh e dha'n arm goirid an déidh sin, agus chaidh e do'n Fhraing leis na Ceathramh Sìophortaich ann an *October,* 1914. Lean e còmhla riutha troimh gach cruadal is doilgheas a thachair riutha, a' tighinn troimh gach caol-theàrnadh mar gum biodh seun air, gus an tainig e a Bhreatainn ann an *June,* 1916, airson coimision. Aig toiseach na bhliadhna, 1917, chaidh e do'n Fhraing a rìs, ach gu *Battalion* eile de na Sìophortaich. An déidh dha a bhith aig an tigh air fòrladh, sgrìobh e thugam ann am mìos na Màirt, 1918, ag innse mar a chòrd a thurus dachaidh ris, ach gu robh e toilichte a bhith air ais ann am poll nan trainnsichean agus—ged nach dubhairt e anns na briathran sin e—na h-uiread r'a dhèanamh: an còrr cha b'urrainn e innse. Seachdain no dhà an déidh sin, bhris na Gearmailtich troimh an dìon a bh'againn am Belgium, cunnart cho mór is a chaidh air an arm Bhreatannach, is air an 13mh là de *April,* 1918, choisinn e Crois a' Mhìlidh aig Wytscaete airson a sgil 's a ghaisge ann a bhith cumail nan Gearmailteach air an ais, chum ùine is rian a thoirt do'n chuid eile de'n Bhattalion gu tàrrsainn as gun chus calla. Ged a bha a phlatoon fhéin ach beag air an cuairteachadh, le strì gu fhóghnadh fhuair e a mach as an rib iad. Trì latha an déidh sin, an 16mh latha, thuit e fhéin, an déidh trì bliadhna gu leth ri aghaidh nàmhaid, gun fhaochadh, gun lasachadh, bho chunnart no bho chogadh, agus, gus an sin, gun an leòn bu lugha. Le a bhàs, chailleadh saighdear duineil, socair, a rinn iomadh euchd nach cualas a bheag mu'n deidhinn; duine eireachdail 'na phearsa, is rèidh ciùin, glic is, thar chàich, breithneachail is laghach 'na dhòigh; inntinn ghleusda is spiorad iriosal a bha air leth buadhach; caraid dìleas air a robh mór mheas aig uile chàirdean is eòlaich.

Ach chan e sin buileach as aobhar gu bheil mise, cha mhór dà fhichead bliadhna an déidh a bhàis, a' toirt luaidh air, ach gu bheil agam, mar a thubhairt mi cheana, 'na làimh-sgrìobhaidh fhéin, beagan bàrdachd, air a bheil mór mheas, chan e a mhàin agamsa ach aig gach duine a leugh e anns an leabhar, *An Dileab*. Tha mi dhe'n bheachd, ged nach eil dearbh-chinnt agam, nach eil againn ach earrainn bheag de a bhàrdachd. Chailleadh cuid dith anns an Fhraing, is chuireadh cuid eile gu fear-eigin, 's gun fhios an diugh có è, ach ma tha e an tìr nam beò, 's gun tig so gu chluasan bhithinn 'na chomain, agus an comain duine san bith eile aig am faod a' mhór no a' bheag de a bhàrdachd a bhith, nan cuireadh e thugam deargadh no copaidh dhiubh.

Bhithinn gu tric a' sparradh air e an tuilleadh bàrdachd a thoirt dhuinn. Nuair a chuir e thugam aon de na h-earrainnean a th'agam, thubhairt e gun dèanadh e sin gu toileach ach nach robh e 'ga fhaighinn fhéin dòigheil gu leòir, fada gu leòir, airson rud a b'fhiach an t-saothair a sgrìobhadh. Ma bha math no luach sam bith anns a' bheagan a chuir e thugam, "a chliù sin," ars esan, "do theagaisg na sgoile is do a buaidh; ach tha mi a' faireach-dainn iad sin a' dol a nis cho fada bhuam 's nach eil a' greimeachadh ri m' inntinn earrainn bàrdachd as fhaide na fhuair thu, 's e sin, earrainn a sheasadh, a dh'aindeoin, ris gach stad is ceap-starraidh a tha cur grabaidh orm, air dhòigh 's gu leanainn air m'adhart, mìr air mhìr, mar a leanadh na bodaich uair-eigin a togail gàraidh." B' e an t-iongnadh gun d'fhuair e fois gu dad idir de bhàrdachd a dhèanamh a' chiad bhliadhna gu leth de'n chogadh, oir cha robh fois ann, a dh'oidhche no latha.

Sgrìobh e a' chiad chuid de'n ealaidh, "Ar Tìr, 's Ar Gaisgich a Thuit 'sna Blàir," anns an trèine gu Caol Loch Aillse, 's e dol dhachaidh air fòrladh an déidh e bhith còrr is bliadhna anns an Fhraing. Chan eil duine chuir seachdain an déidh seachdain seachad ann an tràinnse, gun tigh slàn fhaicinn, no dad eile ach òpar is làraichean briste agus craobhan spealgte, nach tuig an iollach ghàirdeachais a thog e, nuair a chunnaic e—nì bu ghann a chreideadh a shùilean—beanntan a dhùthcha fhathast 'nan suidhe buan air an seann bhunaidean:

> Brat sneachda air mullach nam beann,
> Currachd ceòtha mar liath-fhalt m'an ceann,
> Feadain is sruthain mòintich
> A' leum 's a' dòirteadh,
> 'S le torman a' sporghail measg gharbhlach nan gleann,
> A' sporghail aig ùrlar nan gleann,
> Aig cosan 's mu shàilean nam mór-bheann;
> Féidh ruadh', fir na cròice,
> Air sliosaibh fraoich ruadh-dhonn—
> 'S i Tìr nan Gaisgeach a th'ann,
> Tìr nam Beann, nan Gaisgeach, 's nan Gleann,
> 'S i Tìr nan Gaisgeach a th'ann!

Air sàil na h-iollaich aoibhnich sin, dh'éirich 'na inntinn smuain-dhealbh air gach sàr ghille sunntach a dh'fhàg na dearbh shrathan sin 's nach till:

> 'S iomadh fear àluinn, òg, sgairteil, deas-làmhach,
> Ait-fhaoilt air chinn a bhlàth-chridh',
> Tric le ceum daigheann, làidir, ceum aotrom, glan, sàil-ghlan,
> Dhìrich bràigh nam beann móra,
> Chaidh a choinneimh a' bhàis—
> Tric 'ga fhaireach' roimh-làimh—
> Chaidh suas chum a' bhlàir
> 'S tha feur glas an diugh 'fàs
> Air na dh'fhàg innleachdan nàmh,
> Innleachdan dhubh-sgrios an nàmh a chòrr dheth.

Nuair a bhios daoine air am fiachainn is air an sàrachadh le anfhois is dìth cadail, cha nì furasd idir a bhith rèidh ciùin aig gach am is anns gach càs, gun fhacal cas a chantainn a thogas buaireasan beaga measg chompanaich. Ach cha robh dad de'n sin air chuimhne fa chomhair luach na h-ìobairt a rinneadh leotha, dad ach rèite agus ùmhlachd, aonachd is àrd-rùn, is eiseamplair na thuit a' brosnachadh na bha beò iad a leantainn air an adhart gun lagachadh:

Ged bha cuid dhiubh, nuair bu bheò iad,
Tric nach b' mhìn rèidh sinn còmhla,
A! thuit iad air còmhnard na strì,
Fhuair sinn sìnt' iad le'm bàs-leòintean
An dusd eudreach'—na bha chòrr dhiubh—
An laighe 'sìneadh mar mheòir-shìnt'—
'Smèideadh, 'stiùireadh,
'Sparradh ùr-oidhirpean òirnne,
Strì air 'n adhart, strì còmhla,
An taobh a thuit iads' dol còmhl' ruinn,
Null thar còmhnard na strì.

Chan e mhàin gu bheil an sealladh a' dùsgadh nan smuain-
tean sin ann fhéin: bu mhath leis sinne ar sùilean fhosgladh, agus
ciall is cumhachd is mórachd na h-ìobairt a chumail daonnan ri
ar n-aire—agus sin anns an àite as dìomhair de ar cridheachan, far
a bheil gach nì as luachmhoire leinn againn an tasgadh:

Bi's mo chuideachd geàrr-ùin,
Dùin do rosg-sgàilean air d' shùil,
'N seòmar ionmhais do smaoin,
'S caoin sholus òg-mhaidne, ciùin-mhaidne, òg-mhèis,
'Ga lìonadh, a' briseadh tre uinneig a' chùil—
'N àite taige, tadhal d' anma,
'Fasgadh cuspairean a' mhùirn,
An sin—tog, taisg dealbh orra
'Nan laighe, mar thuit, 'san raoin,
    Fairich, cluinn,
    An smèideadh, an cainnt ruinn—
An rùn-gnìomh air an tug iad an deò
    Suas, 'nan càradh
    Air an àr-lar,
Air a ghleidheadh dhuinn beò,
Mar gun snaigheadh fear seòlt'
Cuimhneachan cloiche gun phrìs—
    "Bi'bh deas gu leum an àirde,
    Le ceum gaisgeil, neo-sgàthach, dàna,
    Bi'bh null thar còmhnard na strì
    Na lagaich ach bi'bh làidir,
    Bi'bh 'nam badaibh is pàidhibh,
    Am féin-mhuinghin leag gu làr dhaibh,

86

Air adhart, air adhart,
So an rathad,
Cuir a' bhratach an sàs,
Daigheann, àrd,
Air sliabh glòrmhor Deagh-sìth! "

Chan è deagh shìth nach seasadh, ach Deagh-sìth bhiodh buan
is maireann; oir sheall e a chridhe an duine, is thuig e, agus thog
e a shùil a chum nan reul.

Chan aithne dhomh sreathan eile an Gàidhlig a bheir a leithid
a chaomh-aoibhneas dhomh ri iad sin. Tha e soilleir bho am
briathran is an rannaigheachd gu bheil guth ùr an so, fo riagh-
ladh inntinn bheò, bhlàith, ghéir; soilleir, gun d'fhuair am bàrd
gibht an t-seallaidh agus comas na h-ùr-smuain, ann an tomhais
a bha eadar-dhealaichte bho na chaidh roimhe agus a bha 'ga
shònrachadh bho bhàird eile na linne. Ach is e a' bhuaidh as
blàithe a tha mi a' faighinn orra mar a tha a dhìlseachd d'a
chàirdean, d'a chompanaich is d'a luchd-eòlais an còmhnaidh ri
aire, gu h-àraidh nuair a smaoinicheadh e air na beàrnan móra a
bha ri am faicinn ri taobh na dachaidh aige fhéin. Bha iad sin
'nan doilgheas cridhe dha gach latha, mar a chì sinn anns an
ealaidh "Am Brosnachadh" no, mar a tha i air a h-ainmeachadh
anns an *Dileab*. "Air Sgàth nan Sonn." Nuair a chuir e
thugam i sin, bha e cantainn gu robh eagal air gur h-i an
fhaoineas a bha cur na smuain 'na chridhe gum b'urrainn e rud-
eigin math a' sgrìobhadh mur biodh gainne cainnte cho mór 'ga
choinneachadh. Tha mise làn chinnteach nach robh e furasd
briathran fhaighinn an Gàidhlig airson na dh'iarradh e a chur an
céill; ach saoilidh mi nach eil duine a thuigeas na dh'fhàg e
againn, agus cho cothromach 's a tha a bhàrdachd an smuain is
am briathran, 's cho dlùth is dìonach 's a tha i 'sa' chur, nach
aontaich nach eil móran againn a chaidh a sgrìobhadh an
Gàidhlig, co-dhiùbh bho chionn ceud gu leth bliadhna, a bheir
bàrr oirre. Tha comas ionmholta aige 'ga nochdadh anns an
ealaidh so. Tha lùb a' togail lùib ann an leanmhainneachd a
smuain, 's ag éirigh an dèine, gun stad, gun cheann-finid bho thùs
gu éis, gus an ruig sinn na focail bhuadhach leis a bheil e a'
crìochnachadh :

Air sgàth nan sonn nach fhaic mo shùil
Tuilleadh ri m' bheò,

'S nach cuir blàth-phlac gu m' chridh' nas mò,
Le gréim an làimh, le tlàths an gnùis,
Le fàilt is furan o'm beòil—
O's minig a ghleidheadh le'n sgeòil
Mi o dhubh-ghearan gruamach na h-ùine
'S a rinneadh mo throm-uallach aotrom
Le 'n cuideachd 's am blàth-chridheas dòigh:
Ach sguiream do Och is O!
Cuiream mo bhròn a thaobh,
'S air sgàth balachain ar fàrdachd,
A dhearbh an làn-chridhe laoich,
Air sgàth ar n-òg ghillean maiseach,
Dhearbh cridhe agus làmh-dheas maraon,
Agus air sgàth nam fear duineil
A dh'fhàg na h-uiread air chùl—
Dh'fhalbh iad uainn uile, leig sinn slàn leò,
Gun againn ach tuairmeas air cùis
No aobhar na h-eubh' airson cobhrach,
Bha cruinneach' feachd-dìon airson dùthch'
Air an sgàths' chaidh a choinneimh nan uabhas
O bhalachain gu fir meadhon làth'—
Na gràidhein nach till a dh'fhalbh uainn,
Seadh, 's fuidheal brist an àir—
Air an sgàths' iarram tapachd,
Spìd innt'neil is corp'rail:
Cumadh mo chridhe buille sgairteil,
Na géilleam roimh chruaidh nì:
Catham tre chruadail is dhoilgheis,
'S nuair ruigeas Deuchainn a h-àirde
'S gur e h-eubha rium "Fàilnich, strìochd,"
'N sin cuimhnicheam Leódhus, m'àit àraich,
Is gleidheadh mo làmh a clì.

Is ghléidh i sin gus an deò mu dheireadh leis an robh e a'
dèanamh na h-iùil air slighe na h-ìobairt:

> "Air adhart, air adhart,
> *So* an rathad,
> Cuir a' bhratach an sàs,
> Daigheann àrd,
> Air sliabh glòrmhor Deagh-sìth."

'S CHA DO THILL ACH A CHLIU.

TURUS DO'N SPAINNT

NA TAIRBH

(earrann de litir)

Chaidh mi a Bharcelóna aon latha a dh'fhaicinn beagan de'n bhaile agus gu h-àraidh an t-sabaid-tharbh. Chuala mi na h-urad mu dheidhinn i sin 's gu robh mi airson faicinn le mo dhà shùil an robh cridhe an Spàinntich cho eadar-dhealaichte ri ar cridheachan fhìn a thaobh co-fhaireachdainn ri duine is ri ainmhidh. Bha an latha bh'ann bruitheil da-rìribh. A' dol do'n bhaile 'san trèine bha gach fear ach beag 's a sheacaid dheth agus sruth falluis o mhalaidhean. Nuair a ràinig sinn am baile 's a bhrùchd sinn a mach as an trèine, mhothaich mi gu robh am mórshluagh a' dol air an aon siubhal ruinn fhìn. Ghabh móran aca na tramachan móra, ach o nach robh fhios againne càite an robh iad a' dol lean sinn òirnn a' coiseachd gus na ràinig sinn ar ceann-uidhe, agus b' e an t-astar sin an aon mhìle a b' fhaide a choisich mi a riamh. Ged a bha sinn rud-eigin tràth, chaidh sinn a steach, is chum sinn sùil fhosgailt ris na bha tachairt.

Bha an togalach anns an robh an tarbh-shabaid ri a cumail air chumadh cuaich mhóir fhosgailte, shaolinn mu cheud slait a liad aig a mullach agus còrr is leth-cheud slat anns a' bhuaile 'san robh an tarbh ri a chluich. Bha na suidheachain—a' chlach chruaidh—'nan cuairtean timcheall air a' bhuaile so 's ag éirigh, ruith air ruith, gu bil-àrd a' bhalla, a bha suas ri ceud traigh a dh'àirde. Ghabhadh an t-àite na mìltean.

Fhuair sinn àite-suidhe anns a' chòigeamh no an siathamh sreath, ri aghaidh gaoithe—ged nach robh móran ann dith sin— agus air chùl gréine, an dearbh thaobh a dh'iarr sinn, oir ged is e am feasgar a bh'ann, bha teas mór fhathast anns a' ghréin. Thòisich daoine a' tighinn a steach, 's nuair a thòisich, cha robh na suidheachain fada gun an lìonadh. Bha an taobh air an robh sinne—taobh na sgàile—làn chun a' mhullaich, ach cha robh an taobh eile buileach cho dùmhail. Agus b' e sin an sealladh! Cuid air an éideadh 'nan trusgain feasgair, na mnathan ann an rìomhachas ghùintean de gach seòrsa 's de gach dath, móran ann á dùthchannan céine (le'n gabhail air an éideadh), cuid dhiubh mar sinn fhìn 'nan tuathaich air chuairt, a thàinig a dh'fhaicinn an aon seallaidh as nàiséanta do'n Spàinnt, 's a' chuid mhór aca air

89

an éideadh cho sìmplidh 's a leigeadh teas na gréine, an nàire fhéin agus lagh theann na Spàinnt leotha.

Mar cheann air gach nì bha àrd cheann suidhe roinn Bharcelóna de'n dùthaich, e-fhéin no fhear-ionaid, 's cha robh ceum 'ga thoirt am pheusan no foillsean na sabaid ach le òrdugh-san. Aig an am shuidhichte thug esan cead an fhéisd fhosgladh. Shéideadh trompaid, is thàinig gach duine aig an robh gnothach rithe a steach air dorus-taoibh, cuid air eich is cuid air chois, gach fear air a rìomhadh an trusgan lainneireach ioma-dhathach, gu h-àraidh iadsan a bha a' dol a chumail aghaidh ris na tairbh. Chaidh iad 'nan triall timcheall na buaile, is nuair a fhuair an dà mhaor dhubh, a bha marcachd air thoiseach, iuchair crò-nan-tarbh bho'n cheann-suidhe, chaidh iad a mach.

Cha robh am fear mu dheireadh ach gann as an t-sealladh nuair a shéid an trompaid a rìs, is mus do shìolaidh am fuaim mu na ballachan, sud tarbh mór dubh a mach as a' chrò 'na dhearg leum. Stad e, is le cheann uallach, móralach is sealladh sgianach 'na shùil, sheall e an cridhe na gréine is air na bha dhaoine an cuaich mhóir na togalaich, is mar gun gabhadh e eagal thug e as 'na chruaidh leum. Ach an sin dhearc e air a' ghille stàtail a bha gu coinneamh a thoirt dha. Ma dhearc cha b'ann gu sìth a chaidh sin do'n tarbh: le spàrn is ùtarrais eagalaich rinn e as a dhéidh is earball dha'n adhar, an rùn reubadh as a chéile nì sam bith a thigeadh 'na rathad. Cha b' urrainn duine beò seasamh ris, is ghabh an gille dìon air chùl còmhla mhór leathainn de bhùird làidir a th'ann a dh'aon ghnothach airson am de'n t-seòrsa. Bha dùil agam gum bristeadh an tarbh sìos roimhe gach dìon is eile, ach cha do bhrist, ged a rinn e a dhìchioll ris; 's ann a thug an dian riag seòrsa de stamhnadh air. Ghabh an gille fàth air sin gu thighinn a mach le ceum stàtail, gun luaisgean gun chabhaig, a thoirt aghaidh dha. Bha brat aige, buidhe air an dara taobh is pinc air an taobh eile, 's gach ionnsaigh a thug an tarbh air bha e a' cumail a' bhrait so ri aghaidh, is nuair a shaoil leat a bha an duine air adhaircean aige, 's ann bha esan air ceum beag grinn a thoirt a thaobh, is thusa, a thairbh, a steach fo achlais. Thug an gille greiseag a' cluiche an tairbh mar sin, a dhearbhadh a mhis-nich, a lùghmhoireachd is eòlais fhéin, agus a' fiachainn dòigh is gnè an tairbh a bha e gu shabaid gu bhàs.

Air do'n cheann-suidhe crathadh a neapaicean, sheinn an trompaid a rìs, 's thàinig fear air each a steach do'n bhuaile le sleagh thapaidh fhiodha aige 'na làimh is rinn stàilinn oirre mu

90

thrì òirlich a dh'fhad. Bha brat mór trom tiugh a' còmhdach an eich air an taobh dheas, cha mhór chun an làir, agus an t-sùil dheas air a dalladh. Dh'fhuirich am fear-sleagha (*picador*) faisg air iomall na buaile, is thionndaidh e an t-each a chumail na sùla doille 's a' bhrait-dhìon ris an taobh muigh, agus sheas e an sin is math dh'fhaoidte, airson nan tigeadh air, gun teàrnadh e e-fhéin le leum thairis air a' challaid fhiodha a bha cuairteachadh na buaile. Chaidh aire an tairbh a thoirt chun a' mharcaich, is, ma chaidh, sud e 'na bhoile-chaothaich an cliathaich an eich, a' fiach-ainn ri a reubadh as a chéile 's a' togail a leth-deiridh uair is uair bho'n talamh, agus sin a dh'aindeoin is gu robh am *picador,* gu a chumail air ais, a' sàthadh na sleagha le uile neart am bac a ghuaillean; ach cha robh e coltach gun tug sin feac air aig an am, 's bha dùil agam uair is uair gum bitheadh an t-each 's an duine ri làr. Ach cha robh: bha am brat a bha còmhdach an eich cho tiugh 's nach d'fhuair an t-each, cho fada 's a chunnaic mise, dochann sam bith. Cha tug e fiù is breab no sitir as, dìreach mar nach bitheadh fhios aige dé bha 'g a dhìogladh: bha an t-sùil dhall eadar e is eòlas air a chunnard. Lean am fear-sleagha a' dìtheadh 's a' dinneadh 's a' sàthadh na sleagha gus na lagaich an tarbh rud-eigin. Thugadh an sin aire an tairbh dhe'n each, is thòisich an *toreador* a rìs 'ga chluich; fòil, lùghmhor, stàtail, cha robh cleas a b'aithne dha nach do dh'fhiach e, air uairibh a' "gabhail" an tairbh 's e-fhéin air a ghlùinean no o chùlaibh, agus a dh'aindeoin gach sian a chaidh air cha do shuath adhairc ann.

Thàinig an sin a dh'ionnsaigh an tairbh fear gun chleòc gun bhrat gun eile ach gath anns gach làimh mu shlait a dh'fhad (*bandilleras*) air an sgeadachadh an riobanan dealbhach. Nuair a a bha e mu fhichead slait bhuaithe, thòisich e 'ga shiùthadachadh, ach cha robh an tarbh ag iarraidh móran spreòtaidh, is sud sibh gu chéile 'nur deann, ach dìreach nuair a rinn an tarbh airson a thogail air adhaircean, thug mo laochan leum grinn thuige 's gu thaobh le chasan righte sìnte, is shàth e na gathan am fìor mhullach a ghuaillean. Rinneadh so trì uairean, is shaoil mi nach robh car 'san iomairt cho snasail ri leum a' bhandillero an aghaidh an tairbh, 's gun dìon air ach a mhisneachd 's a shùil 's a lùgh-mhorachd fhéin. Mas ann a dhùsgadh a mhèinn a chaidh na gathan a chur ann, agus shaoileadh neach nach robh sin ri iarraidh, cha robh iad gun bhuaidh, oir nuair a thòisich an *toreador* a rìs a' cluiche an tairbh, bha aige ris gach cleas a bha aige a chur an gnìomh mus robh an tarbh stamhnaichte gu leòir leis. Nuair a bhà, chaidh e a dh'iarraidh air a' cheann-suidhe cead a' bhuille-mharbhaidh. Fhuair e sin, is dh'fhalbh e le seum socair, flathail, is nuair a bha e faisg air meadhon na buaile, thionndaidh e trì no ceithir a dh' uairean 's a cheannabheart aige 'na làimh shìnte; choisrig e an tarbh do na h-uile bha làthair, is thilg e a cheanna-bheart thar a ghuailne air a' ghainmhich.

Ghabh e an sin brat dearg le oir fìllte mu luirg bhig fhiodha, agus le chlaidheamh 'na làimh 's e 'ga fhalach uairean an lùib a' bhrait, chaidh e a dh'ionnsaigh an tairbh, is cha robh stàtalachd is grinneas-char ann gus an sin. Chluich is chleas e an tarbh gu thogradh, 's gach car is tionndadh ealamh, clis, deas, ach gun sheas an tarbh aon uair air a' bhrat, 's bha aige ri leigeil as. Ged a chaidh caol theàrnadh air, cha tug e aon cheum cabhagach as. Ruith na fir-chuidich a thoirt aire an tairbh thuca fhéin gus am faigheadh an *toreador* brat eile. Fhuair e sin, is nuair a shaoil e a bha an tarbh fo smachd aige is a chasan ceithir-cheàrnach air dhòigh 's nach b'urrainn dà gluasad gun fhios dà, chaidh e thuige, is shàth e an claidheamh, shaoil mi, mu'n t-slinnean. O nach deach e domhainn gu leòir ann, tharraing e a mach e, agus an déidh greiseag cluich eile, shàth e a rìs e, agus dh'fhalbh a chasan tioram bho'n tarbh is thuit e marbh. Nuair a shlaodadh a' chlosach a mach, chaidh cluas dheth a thoirt do'n *toreador* mar urram, is chaidh esan an sin timcheall na buaile g'a nochdadh fhéin le mor-ghreadhn do na h-uile, is iolach àrd is bas-bhualadh 'ga choinneachadh anns gach ceàrnaidh, cuid a' sadadh an adan, cuid gibhtean luachmhor—nì air bith a nochdadh am meas a bh'ac air—ach chunnaic mi maoir-shìth a' dol air an dearg chaothach nuair a thòisich cuid de'n fheadhainn òg a' sadadh nan cuisionan thuige. Leum an sin sgaoth de ghlas-ghillean do'n bhuaile, is dh'fhalbh iad leis a' ghaisgeach mhór air fras-mhullach an guaillean, oir chan eil dad ann as cliùitiche leothasan na urram a' mhatador (fear-marbhaidh an tairbh).

Cha do lean an iomairt sin uile ach mu leth uair a thìde, oir chunnaic sinn sia tairbh 'gam marbhadh an aon fheasgar. Cha robh dol aig cuid de na matadors air marbhadh aithghearr, glan a dhèanamh, ged a dh'fhaodadh iad a bhith glé sgiobalt roimhe sin, is chual iad air a' chluais bu bhuidhre aca an tàir-fheadalaich 's an tàmailt a fhuair iad o'n luchd-amharc. Dé nach dèan am fear nach eil air an stiùir! Cha mhór nach robh cuid a' leum a shealltuinn dhaibh mar bu chòir dhaibh snas a' chlaidheimh a nochdadh leis a' bhuille dheireannaich! Agus bodach as aithne dhomh fhìn 'nam measg!

An robh an sealladh brùideil? Saoilidh mi gu robh, ged nach téid an Spàinnteach leinn an sin. Co dhiùbh, tha fhaicinn aon uair gu leòir dheth, gu h-àraidh sàthaidhean a' phiocadoir. Ach tha mi toilichte gum faca mi e, ged tha mi duilich, a dh'aindeoin feara-lachd nan gillean, gu bheil na h-urad a' cur ùidh cho mór ann.

TROIMH'N FHRAING

Gheall mi gun cuirinn sgrìobag thugaibh a dh'innseadh mu ar turus gu Tir-mór na h-Eòrpa aig deireadh an t-samhraidh so a chaidh, ach chan ionann gealladh is coimhlionadh. O'n thill sinn thàinig gach latha le uallach fhéin, agus leis gach coileid a bh'ann chaidh an dàil 'sa' ghnothaich, agus le dàil dearmad.

Cha robh, ma thà, dad a dhùil agamsa ruighinn Tir-mór na h-Eòrpa am bliadhna, no 's math dh'fhaoidt' idir, gus aon latha is mi aig coinneimh an Dun-éideann 'san Og-mhios, an d'fhuair mi a' phutag ud 's a dh'innseadh dhomh gun robh cuideigin aig an dorus airson facal fhaighinn rium. Có bha so ach caraid a thàinig a dh'innse gu robh e-fhéin agus fear eile a' cur rompa a dhol gu Tir-mór aig toiseach an Iuchair agus guma mhath leis mi-fhìn is bean-an-tighe a dhol còmhla riutha, nam biodh sin g'ar rèir. Bha an Spàinnt—a bha iad an dùil a ruighinn—car fad as leinn, ach có aige bha fhios cuin a bhiodh an cothrom againn a rìs, agus le sin mar sin rùnaich sinn Tir-mór a ruighinn.

Creideadh sibhse nach b'ann gun iomagain a fhuair sinn gach deisealachd air dòigh, oir bha ùine 'na dian-ruith agus an Spàinnt ag iarraidh urrais (visa) a bharrachd air dùthchannan eile. Co-dhiùbh, bha gach nì deiseil mu choinneimh an latha, agus air an t-slighe bhà sinn.

Cha b'e an rathad gu deas a b'fhasa dhe na ròidean. Ann an cuid de àitean, gu h-àraidh anns na bailtean móra, mar Doncastar, agus eadar Tilburaidh agus Dóbhar, bha na càraichean sròn ri céir fad mhìltean. Ràinig sinn co-dhiùbh ann an dà latha, mar a bh'againn 'san t-sealladh, agus an ath mhadainn, madainn àigh, chaidh sinn sìos chun na lamraig, agus an déidh beagan cheistean a chur ruinn le fir na cuspuinn, chaidh sinn air bòrd gun fiù is màileid fhosgladh.

Mar a bha am bàta a' cumail a cuinnlein air an Fhraing far an cuinge an Caolas Sasannach, no mar chante o shean, am Muir

n-Icht, bha m' inntinn a' ruith air turusan eile a chaidh mi a null
an Caolas, an dubh na h-oidhche, mar bu trice. Chan fhaca mise
geala-chreagan Dhóbhair o na láithean ud gus an sud, agus cho
fada 's a bheireadh cuairt na sùla a steach 'nam sheasamh air
clàr 'a bhàta, cha do shaoil mi gun dh'fhàg an dà chogadh
làrach mór sam bith air a' bhaile no air an lamraig. Bha gun
teagamh barrachd thoill am bonn nan creag, làraichean ghunna-
chan móra agus chuilidhean tasgaidh, agus ann an aon àite,
shaoil mi, beàrn fhada ann an dìon-bhalla a' phuirt, ach sin uile
cho fada agus a chunnaic mi.

Cha b'e sin do Chalais e. Mar a bha am bàta a' tighinn a
steach ris an lamraig, bha an léir-sgrios a chaidh a dhèanamh air
a' phort faicsinneach air gach taobh. Bha fliuch-bhallachan nan
cidheachan air am briseadh gu dona ann an iomadh àite, agus toga-
laichean dlùth air a' phort air an leagadh gu làr, cuid dhiubh
fhathast 'nan sléibhtrich air chùl challaidean. Ach air a' chidhe
fhéin bha cuid, mar oifisean is tighean-bìdh, air an ùr ath-thogail.
An déidh dhuinn a dhol troimh chachaileith na cuspuinn—agus
sin gun mhóran maille—agus blasd bìdh fhaighinn, chum sinn
oirnn gu deas. Chan fhaca mi shuas am meadhon a' bhaile urad
de bhristeadh 's a shaoilinn, ach dh'fhaodadh gun deach ùr-thogail
na chaidh a sgrios. Bha aon atharrachadh do'n tug mi toidh, 's e
sin nach robh aon Fhrangach r' a fhaicinn le briogais-bhuilg 's i
air a ceangal mu na h-aobranna, nì a bha cumanta dà fhichead
bliadhna air ais.

Tha na ròidean anns a' chuid mhóir de'n Fhraing farsaing agus
dìreach, agus dhèanadh càr astar math 's gun mhóran coileid
orra, mur biodh nach eil modh is riaghailt-rothaid ann, co-dhiùbh
air an aon rian 's th'againn am Breatainn. Le sin dh'fheumtadh
faiceall a chleachdadh, gu h-àraidh aig crasg nan ròidean. Bha e
'na iongnadh leinn cho aonaranach 's a bha an t-slighe agus an
dùthaich mun cuairt, oir chaidh sinn mìle an déidh mìle gun a'
bheag fhaicinn eadar na bailtean ach talamh àitich fo bhàrr air
gach taobh, gun thigh, gun fheansa, gun challaid, dh'fhaodainn a
chantainn, gun chrìochan, 's gach òirleach dheth air oibreachadh
gu fìor-iomall an rothaid-mhóir. Bha an rud a shàraich mnathan
a' bhaile eile—na cinn-sgura—glé choltach 'na shùgradh le mac-
an-Fhrangaich, oir bha e faicsinneach gu robh e a' dèanamh uile
dhìchill gu feartan na talmhainn a chur gu deagh bhuil; is cho
fada 's a chitheadh an t-sùil bha na raointean torrach le biadh am
pailteas do dhuine 's do dh'ainmhidh.

94

Bha na mòr-bhailtean troimh an deach sinn am bitheantas mar na bailtean againn fhìn, le'm bùithtean là bathair, agus daoine, mar bu trice, air an deagh chòmhdach. Cha robh na tighean an cuid a shràidean ach mu làimh, agus cha b'ann anns na bailtean beaga a b'fheàrr iad. Bha iad sin móran na bu mhairbhe na tha iad againne. Cha robh duine no leanabh, no cù no cat ri am faicinn ach ainneamh; ged a dh'fhaodadh gu robh a' chuid sin dhiubh a bha strì ri fearann a muigh 'sna h-achannan agus a' chuid eile a' norradaich an cùil-eigin 's am faigheadh iad sgàil o'n teas. Cha robh a choltas air na tighean gu robh móran cùraim 'ga ghabhail riutha, gu h-àraidh ris na dorsan 's ri clàir-dhùnaidh nan uinneagan—'s cha robh uinneag gun a clàr—oir bha gach aon aca air sgréathadh aig a' ghréin, agus am peant, mas e peant a bh'ann, a' dol 'na dhust. Na leacan starsaich fhéin bha air an cladhach fòpa le gaoith is teas is sian. Bha sàmhchair lom thar gach nì, ach a h-aon; b'e sin na fasaidh-phetroil, agus bha pailteas dhiubh sin ann. Far an robh tighean ùra 'gan togail, agus bu tearc iad na bailtean beaga, tuath air an Seine, anns nach d' fhàg an cogadh beàrnan briste, bha iad móran na bu shnasaile an deilbh 's an sgèimh na tha iad againne. Bha iad air an suidheachadh cho socair air am bonn 's gun robh caomhalachd anabarrach annt do'n t-sùil.

Chuir sinn seachad a' chiad oidhche ann am Beauvais, baile tuath air an Seine. Chaidh a chur ri talamh ach beag ri linn a' chogaidh, 's thug sin cothrom do na Frangaich an grinneas a chleachdadh an deilbh nan tighean 's nan sràid; agus rinn iad sin air dhòigh a ghlacadh 's a riaraicheadh an t-sùil. Chì sibh 'san dealbh aon oisinn sràide a bha mu choinneimh an òsd-thigh 'san d' fhuair sinn cuid-oidhche, agus saoilidh mi nach eil e 'na nàire dhaibh.

Chum sinn oirnn á sin gu iomall Pharis, sìos gu Versailles is Fontainebleau, 's á sin a rìs gu deas an cois nan aibhnichean Loire agus Alier. Bha cuid de'n dùthaich an so, eadar choille is phòr, anabarrach taitneach, oir bha anail nam bliadhnachan cùbhraidh air tigh is raoin. Bha chuid bu mhotha de na bailtean beaga anns a bheil an luchd-àitich a' fuireach air an suidheachadh an lagain fasgach beagan astair bho'n rathad mhór, ach bha stìopal na h-eaglais, le a biod os cionn nan craobh, a' dèanamh aithnichte far an robh gach aon aca 'na laighe, gu socair, sàmhach, mar gum b' eadh, air chùl an t-saoghail.

Chaidil sinn an oidhche sin am baile beag air an abhainn

Alier, mu dhà cheud mìle deas air Paris. Bha an tigh-òsda glan, comhfhurtail, 's na daoine càirdeil, dìchiollach agus an rùn gach riarachadh a thoirt duinn, gu h-àraidh fear-an-tighe. B'esan an còcaire, 's bha e air thì gu dìnneir a chur fa ar comhair a bhiodh 'na teist air a sgil 's a liut fhéin mar shàr-fhear-ealain. Is duine agaibhse a tha a' dol do'n Fhraing, cuimhnichibh nach ann an asgaidh a gheibh sibh te de'n t-seòrsa, oir cosgaidh i tioram dhuibh mu dhà not an duine, 's e sin mu cheithir no chóig urad 's a chosgadh i 'san dùthaich so. Thachair Duitseach 's a bhean ruinn an so is iad air an t-slighe dhachaidh as an Spàinnt. Bha Beurla mhath aca, is fhuair sinn móran eòlais bhuapa mu ghnothaichean 'san dùthaich sin. Mhol iad dhuinn ruighinn Sitges, baile tha mu 25 mìle deas air Barcelóna, far na chuir iad fhéin seachad mìos glé shona, comhairle a ghabh sinn gun aon aithreachas 'na déidh.

Lean sinn oirnn an ath-mhadainn ri slios na h-aibhne Alier. Chaidh sinn troimh ghrunnan bhailtean móra air an t-slighe, Vichy air aon aca. Bha e so cho ainmeil ri linn a' chogaidh mar phrìomh-bhaile riaghaltas Phetain, an déidh an t-sleuchdaidh, 's gun tug sinn sùil mhath air 'san dol seachad. Is baile glan, eireachdail e da-rìribh, le coltas an airgid air gach sràid. Tha na tighean air gabhail ùmpa gu math, gach aon air ùr-pheantadh, 's iad uile air chaochladh dath, is sealltanach, dealbhach do'n t-sùil. Thaghadh gu math 'san droch uair. Cha mhotha a dhiochuimh-nicheas sinn an sealladh àghmhor a tha ri fhaicinn thar sratha is bheann bho luib an rothaid aig drochaid Thiers.

Mar a bha sinn a' dìreadh suas gu bràighe nan aibhnichean 's ri aonaichean Auvergne, bha fionnarachd nam beann da-rìribh taitneach, an déidh teas a' chòmhnaird. Fad mhìltean bha ar slighe troimh sgoltaidhean domhainn, coillteach an sud, lom creagach an so, 's an còmhnaidh 'nan iongnadh. Air uairibh 'san doimhne, le sgorra-chreagan allta air gach taobh, air uairibh air na bearraidhean ceudan troigh os cionn, bha an rathad a' dìreadh 's a' teàrnadh 's a' lùbadh gu ìre tuaineal a chur 'nar ceann. Shuas am meadhon an aonaich chunnaic sinn baile mu mheud Ionairnis, Le Puy, a th' air a shuidheachadh air sliosan mheallan creige (puys) tha 'g éirigh o lag 'san aonach, is seipeil air mullach aon diubh agus ìomhaigh na h-Oighe ag éirigh gu àirde mhóir air aon eile, sealladh a chìte fad mhìltean o lom a' chòmhnaird 's nach diochuimhnich duine a chì. Nuair a ràinig sinn am mullach bha na sliosan air an còmhdach le coille, agus air a' bhad a b'àirde, eaglais mhór mar abaid, agus sin còrr agus 4000 troigh os cionn na mara. Chaidh sinn troimh shùil, mu fhichead slait a dh' fhad, ann an creig a bha, mur eil mi air mo mhealladh, a' dealachadh nan uisgeachan, dìreach aig tòiseachadh cromaidh dhuinn bho bhearraidhean nan Cevennes. Lean sinn sgoltaidhean gleanntach sìos taobh deas nam beann gus na ràinig sinn baile beag car a tuath air Ales, agus chuir sinn seachad an oidhche an sin. B'ann an so a chunnaic sinn a' chiad fhìonan.

Chan eil mullaichean an Avergne 'na thalamh cho torach ris a' chuid eile de'n Fhraing, is bha e 'na iongantas leinn ciamar a bha daoine a' faighinn bith-beò a b'fhiach an t-saothair ann, oir feumaidh gu bheil dìth an uisge 'na dheuchainn mhór do'n luchd-àitich. Chan eil boinne a' tuiteam as an adhar air am faigh iad greim nach eil air a chur gu feum a rìs agus a rìs, mas urrainnear idir. Tha an t-àite cho tioram 's an teas cho mór, 's nach robh bileag fheòir a bha ris a' ghréin nach robh loisgte gu a freumh. Feur sam bith a chunnaic sinn, 's ann air sliosan cas a bha fo sgàil, agus bu mhór an t-saothair a bha air a ghabhail ris. Cha robh clais ri rathad, no an àite eile, anns am faodadh uisge a thighinn le tuil, nach robh leigidhean beaga aisde a chuireadh an t-uisge do chladhain chaola, mu thrì òirlich an doimhne, a bha a null 's a nall, a' fiaradh gach leathaid a bha fo sgàile ri àin na gréine. Air cho beag 's gum biodh na peiteagan glasaich, bhathas 'gan cur gu feum, 's gach gas feòir air a spealadh cho lom ri feusaig do lic, agus feumaidh gun robhas a' tighinn astar math gu sin a dhèanamh, oir cha robh tigh ri fhaicinn ach corr-ainneamh. Chan fhaca sinn each fad an t-siubhail. Chunnaic sinn muileid no dhà agus—nì a b' annasaiche 's nach fhaca mi a riamh chun a sud—crodh-bainne anns na cairtean; 's bu neònach iad sìos na leothaidean, le mall-cheum air mhall-cheum, is an ùghannan a' glugadaich bho thaobh gu taobh. "Dual-purpose" da-rìribh! Is ann ainneamh a bha tigh anns na bailtean beaga a bha air na sliosan a deas gun cheithir stòraidhean, 's an làr ìosal dhiubh 'na bhàthaich. Bha iad, mar bu tric, air an aon ruith, 's co-cheangailte, agus ag éirigh mar dhùin 'nan cnapan garbh-bheartach bho 'n t-sràid. Saoilidh mi nach ann an aonait a bha Rob Ruadh 's a cheatharnaich! Có an croitear air an t-saoghal aig an robh de dh'airgead na thog iad!

Tràth an ath-latha ràinig sinn oirthir a deas na Frainge, 's nuair a fhuair sinn a' chiad bhoillseadh de'n mhuir faisg air Cete, dh'éigh sinn le iolach mar a dh'éigh Xenophon o chian "An Cuan, An Cuan"; bha e an sud 'na shìntich lasrach fo dhian-ghathan ghréine, ach chan fhaca sinn tuilleadh e gus na ràinig sinn an Spàinnt. Chaidh sinn troimh iomadh baile beag is mór, Montpellier, Nàrbonne, Perpignan is cuid eile, mus do stadadh sinn le luchd na cuspuinn aig a' chrìch 'sna Pyrenees. Fad na slighe, 's cha robh i bheag goirid air dà cheud mìle, chan fhaca sinn móran a' fàs á talamh ach fionan, fionan. Bha an rathad fad na h-ùine ris na sliosan, ìosal, is shaoileadh tu nach robh dad suas oirnn ach a' chreag lom; ach le saothair mhóir, is le gaoith is teas is tiormachd, bha am beagan talmhainn a bha uair-eigin air na leacan air a chruinneachadh 'na staidhrichean, is balla cloiche ri aghaidh nan ruitheanan, suas gu àirde nan cnoc; agus e fo fhìonain. Cha robh dad an sud ach fionan, suas oirnn air na cnuic, sìos oirnn chun ìsle, mìle an déidh mìle gun dad ach fionain, fionain, gus an robh sinn seachd sgìth is fionan.

Nuair a ràinig sinn a' chrìoch, chaidh sinn troimh eileamaidean na cuspuinn aig a' chachaileith Fhrangaich gun mhóran call ùine, ach aig a' chachaileith Spàinntich, beagan air adhart, cha robh gnothaichean cho sgiobalta, ged a dh'fhaodadh gur h-e ar dìth eòlais air an cainnt a dh'aobharaich earrainn deth. Ach, gu fortanach, fhuair sinn seachad gun mhàileid fhosgladh, 's bu mhór sin: agus mur eil sibh sgìth de'n dorgh so, cluinnidh sibh an còrr uair eile.

ANNS AN SPAINNT

A nis chan eil mise a' dol a dh'fhiachainn ri breith a thoirt air na chunnaic 's na chuala mi anns an Spàinnt, oir cha robh e 'nar comas a thighinn gu beachd cothromach mu ghnothaichean ann 's gun chainnt na dùthcha aig duine againn; 's cha mhotha a bha de thìde againn fuireach ri tuigsinn na bha air cùl na h-aghaidh a bhathas a' cumail ris an t-saoghal, co-dhiùbh air dhòigh anns am b'urrainn duine earbsa a chur.

Bha e furasda gu leòir aithneachadh gun robh sinn ann an crìochaibh ùra, ged is ann a lìon beag is beag a bha an t-eadar-dhealachadh a' tighinn a steach oirnn le dearbh-chinnt. A dh'aon nì, bha barrachd shaighdearan air taobh na Spàinnt de'n chachaileith, gun e bhith faicsinneach dé a bha iad a' faighinn r'a dhèanamh, ach dìreach a' nochdadh am fearalais. Lean sinn oirnn air an t-slighe cho luath agus a fhuair sinn cuidht' is iad, a' dol troimh ghlinn dhomhainn lùbach nam Pyrenees sìos gu Geròna, far na chuir sinn seachad an oidhche. An dràsda 's a rìs bha sinn a' tachairt ri luchd-coimheid an rothaid 'nan dithisean air cuibh-leachain 's an gunna-caol tarsainn an droma, agus corr-uair fhuair sinn balladh air dùin-dhìon air mullach nan cnoc. Ach chan urrainn domh chantainn gun robh saighdearan am follais ann an àireamh mhóir sam bith. Chaidh sreath aca aon uair tarsainn na mòintich seachad oirnn, lobaidean bochda de ghillean òga nach robh a' dèanamh glinn 'nan earraidhean a bha tuilleadh is mór airson na bha 'nam broinn, 's a' chuid bu mhotha aca gun fhearachas no uaill 'nan ceum mar acasan a bha coimhead na crìche.

Bha an dùthaich an toiseach gleanntach agus, shaoil mi, na b' fheàrr còmhdach na'n Fhraing, ach rud-eigin coltach rithe a thaobh pòir. Uidh air n-uidh thàinig atharrachadh air a h-aodann. Air ceumannan nan staighrichean,—'s ma bha iad sin am follais 'san Fhraing, cha robh slios idir no leitir anns a' chuid a tha cnocach de'n Spàinnt gun a bhith 'na ruitheannan suas gu a mullach, agus sin cho fada 's chitheadh an t-sùil bha an crann ola a' gabhail àite an fhìonain mar a b'fhaide a bha sinn a' dol gu deas agus, air na h-innseachan ìosal, beag-raon an déidh beag-raoin de'n tomàto. Ris an rathad an sud is an so, chitheadh tu torran àirc, dìreach mar dhùin mhònach, a' feitheamh nan cairt: 's b'e eich no muileidean a bhathas a' cleachdadh airson na h-oibreach sin. Far an robh an talamh tioram 's 'na leth ghain-mhich, cha robh còmhdach air ach lusan calgach, gathach mar chactai; leis an teas a bhith cho mór 's nach b'urrainn duine a làmh fhàgail car tiotaidh air cloich no air a' chàr, chan eil a bheag a lusan ann nach seargadh fodha, a dh'easbhuidh uisge am pailteas.

Ach an ùine a cheadachadh, bu dheagh mhath leam barrachd air aon oidhche a chur seachad ann an Geròna, ged bu mhì-chneasda an fhàilt a fhuair sinn, oir cha robh sinn mionaid 'san tigh-òsda nuair a dhòirt grad-thuil bhàite, le dealanaich is tàir-neanaich, a chuir gach duine thachair a bhith air sràid 'na leum fo dhìon; chaidh na soluis as, agus stad na h-inneil-dhìreadh, 's cha robh air ach fuirich far an robh sinn gu'n tigeadh iad air ais, nì nach robh fada. Bha an tigh-òsda co-dhiùbh cho math ri a leithidean anns an dùthaich againn fhìn, 's bha seòmraichean comhfhurtail againn le amaran-failcidh ceangailte riutha, is mar anns an Spàinnt uile, làir de leacan-sleamhainn (tiles) a bhathas a' nighe a h-uile latha airson fionnarachd. Coltach ri bailtean eile 'san dùthaich, tha cuid de a shràidean caol, le bùitean air gach taobh; is cha robh nì air an cuireadh duine feum nach robh ri fhaicinn anns na h-uinneagan, agus sin na bu shaoire na bhiodh an nì ceudna aig an tigh, gu h-àraidh uaireadairean. Anns an Spàinnt tha an dinneir anmoch, a' crìochnachadh mu aon uair deug, agus is ann an déidh sin a tha a' chuid mhór a' gabhail chuairt. Shaoileadh tu, nuair a chaidh sinn a mach, gun robh Geròna uile a' sràideireachd, gu h-àraidh an fheadhainn òga, agus sin gu modhail, rianail agus, cho fada is a chunnaic sinne, toilichte. Ghabh sinn mu thàmh mu dhà uair dheug—rud-eigin tràth a rèir cleachdadh an àit—agus sinn a' cur romhainn crìoch-nachadh ar slighe roimh mheadhon an latha màireach. Mar a thubhairt an seann sgeulaiche,

> Fhuair sinn uisge blàth d'ar casan,
> Agus leabaidh bhog d'ar leasan,

agus cha robh fada gu'n robh sinn, agus sin an dà sheagh, ann an saoghal ùr, teth is gun robh an oidhche. Thàinig a' mhadainn le làn ghrian samhraidh, agus an déidh blasd bìdh—cofaidh agus rolla arain, oir chan eil a' bhracaist ach aotrom air Tir-mór— chaidh sinn cuairt timcheall a' bhaile. Leis an t-seann saoghal 'gar coinneachadh air gach taobh, bha iomadh nì ann 'gar tàladh. Ach bha againn r'a fhàgail.

Chum sinn oirnn gus na ràinig sinn Blanes, a tha tuath air Barcelòna, far bheil cladaichean àillidh a' Chosta Bràbha a' tòiseachadh. Bha an rathad gu so an ìre mhath, agus an Riaghaltas 'ga liadachadh gu bhith 'na phrìomh rathad mór, 's gur h-ann air a tha móran de na h-eilthirich a' cur an ciad aithne air an taobh so de'n dùthaich.

Chan fhaca duine riamh leithid na coileid 's a bha air an rathad sin. B'e madainn na Sàbaid a bh'ann, leis a' chuid mhóir aig saorsa an toile féin; agus shaoileadh tu nach robh inneal air an robh cuibhle ann am baile mór Bharcelòna nach d'fhiach a mach, 's an conacagan fuaimearra, sgairteil a' séideadh fad na slighe, gun iaradh gun innealadh, 's gach duine as a chiall, gun fhathamas, gun riaghailt, a' dèanamh air cladaichean a' Chosta Bràbha.

Thàinig sinn an sin gu bailtean beaga an cois a' chladaich, le sràidean cumhang, oiseanach, a bha fo rian sholus, oir chan fhaigheadh ach aon sreath chàraichean seachad aig an aon am. Creideadh sibhse nach bu shùgradh a bhith an ceann càr anns na badan sin, agus b'e iongnadh nan iongnadh nach robh call aig gach oisinn diubh. Ach co-dhiùbh fhuair sinn seachad gun aimlisg, 's thàinig sinn gu farsaingeachd an rothaid mhóir. Chan e nach fheumadh duine fhathast a bhith 'na fhìor fhaireachdainn, 's cha robh fada gus an deach sin a chur air shùilean duinn. Goirid air thoiseach oirnn chaidh stad a chur air na càraichean, agus grunnan shlat air adhart chunnaic sinn boireannach 'na sìneadh tarsainn an rothaid agus cuibhleachan, no siùbhlachan, briste faisg oirre. Thuig sinn gun robh i marbh, oir chaidh a fàgail an sin gu 'n tigeadh cuideigin aig am biodh ùghdarras dh'a taobh. Nuair a shìolaidh an othail 's a fhuair sinn cead falbh, chaidh againn air faighinn seachad le faicill, ach chuir an nì goiriseachadh oirnn agus fad an latha bha e duilich dhuinn an sealladh fhaighinn a beachd na h-inntinn, gu h-àraidh boinn bheaga, bhochda nan cuaran aice.

Cha do cheadaich ùine dhuinn móran stad a dhèanamh am Barcelòna, agus mar sin chan fhaca sinn ach earrainn bheag de'n bhaile. Tha tighean móra, eireachdail ann, rud-eigin coltach ris a' chuid as fheàrr de Ghlaschu, ach nach eil sràidean ann an gin de bhailtean Bhreatainn, a chunnaic mise co-dhiùbh, cho farsuing ris na h-*avenues* mhóra am Barcelòna. Air ar slighe gu deas, lean sinn te aca a mach as a' bhaile. Bha i sin 'na cóig ròidean: bha an toiseach rathad mór farsaing anns a' mheadhon is rathad choisichean fo sgàile dà shreath chraobh air gach taobh dheth, agus mar ghoireas do na tighean, rathad eile air gach taobh de'n t-sràid, le ceum-còmhnard (*pavement*) eadar e 's na bùitean. Tha am farsaingeachd agus an eireachdas a' sealltainn gu soilleir nach do chaill an Spàinnteach a chomas air greadhn is maise is móralachd a thaisbeanadh ann an deilbh obair a làimh.

Thug an rathad so sinn astar math a mach as a' bhaile. An déidh ruighinn na mara rìs, ruith sinn grunnan mhìltean air bhàrr nan creag gu Sitges, rathad a bha cheart cho cunnartach ri aon air an robh sinn, ach bha sinn toilichte nach robh an aon dhripealachd a deas air Barcelòna agus a bha tuath air. Bha muinntir nan càraichean cho coma, agus an rathad cho lùbach 's e leantainn gach geodha is gach oisein a bh'air bil nan creag, 's gum feumadh sùil is cluas a bhith fuirealach, agus am muir aog-nuidh cho fada fodhainn.

Ràinig sinn Sitges ann an deagh am. Ged nach deach againn air faighinn cuid-oidhche anns an tigh-òsda a rinn an Duitseach a mholadh dhuinn, sheòladh sinn do fhear eile, a bha glé mhath.

101

Fhuair gach duine againn rùm dha fhéin le seòmar-failcidh an ceangal ris, goireas a bha mór againn agus an aimsir cho teth. Bha am biadh, cuideachd, glé mhath 's air a dheagh chòcaireachd a rèir gach miann is dòigh, Spàinnteach, Frangach no Breatannach. Cha mhotha a bha a' phrìs ás an rathad, oir bha i co-dhiùbh cho riaghailteach 's a bhiodh i 'san dùthaich so.

Tha baile Sitges mu mheud Steòrnabhaigh an àireamh dhaoine, ach gu bheil, an drip an t-sèasain, a cheithir no chóig urad ann. Tha na tighean àrd agus na sràidean caol. Chan eil dad a bharrachd air seachd no a h-ochd traighean a leud annta ach bho aon cheann. Tha aon mhathas air an cuinge, gu bheil sgàile bho theas na gréine ri fhaighinn air taobh-eigin dhiubh cha mhór fad an latha. Air gach oisinn dhiubh chìtear ainm na sràid agus, os a chionn, dealbh a tha riochdachadh an ainme, nì tha goireasach nuair nach eil comas leughaidh aig a h-uile duine. On is ann le frithealadh do luchd-tadhail a tha móran de na tha còmhnaidh ann a' tighinn beò, thathas a' cumail a' bhaile anabarrach glan agus gach tigh is bùth ann an deagh òrdugh, ma ni peant e.

Bha grunnan aitreabhan-ceàirde ann, dhà no trì aca a' dèanamh bhròg. Bha na dorsan aca fosgailte an còmhnaidh, agus uair no dhà sheas mi a ghabhail ealla ris an luchd-oibrich. Cha robh aig gach duine aca ri dhèanamh ach roinn bheag de'n obair, agus nuair a bha sin deiseil bha a' bhròg 'ga cur air being ri thaobh; shìneadh an athdhuine a làmh thuice is dhèanadh e a roinn fhéin, agus bha a' bhròg a' dol bho dhuine gu duine mar sin gus an robh i crìochnaicht'. Aig inbhe an reic, bha na brògan air an deagh oibreachadh agus glé shealltanach. Bha oibrichean eile ann cuideachd, ach feumaidh gur h-ann air luchd-turuis a tha a' chuid as motha de theachd-an-tìr muinntir a' bhaile an crochadh, agus tha iad a' dèanamh nas urrainn daibh gu adhartas a dhèanamh le sin.

Eadar sràid a' chladaich agus am muir tha spaisdreach chòmhnard còrr is mìle a dh'fhad, le craobhan pailme air gach taobh dhith a chumail sgàile oirre, agus fòithe sin trì tràighean fada de ghainmhich ghil a bha, ach beag, uile còmhdaichte le ciadan de sgàilean canabhais. Fòdhpa bha na snàmhaichean a' faighinn dìon o'n ghréin agus a' fàgail am bratan uachdrach fhad 's a bhiodh iad 'sa' mhuir. Far an robh a' ghrian a' bualadh dìreach, bha a' ghainmheach cho teth 's nach fuilingeadh boinn nan cas i, gun duine a bhith 'na ruith.

Chuir sinne seachad mu cheithir latha deug a' snàmh no

plubraich anns a' mhuir, agus e cho blàth 's a dh'iarradh tu. Air gach taobh dhinn bha gach uile seòrsa duine—sean is òg, firionn is boirionn, beag is mór, caol is reamhair: boireannaich mhóra bhàna á Lombardaidh na h-Eadailt, daoine beaga brògach á ceann-a-deas na Spàinnt, ceatharnagan cruinne, mollach de mharcaichean camachasach ás an Argentine, a bheireadh gàire ort 'gam faicinn a' snàmh 's a' plubraich 'san uisge mar phéileagan. A dh'aindeoin faicill ann an ùilleadh a' chraicinn, bha móran dhiubh 'ga thilgeil 'na rùsgan an tomhais a chor-eigin, 's cha robh sin uaireannan gun anshocair fhéin 'na chois.

Thathas an còmhnaidh a' cur as leth nan Spàinnteach gu bheil iad buailteach dàil a chur an gnìomh le "nì mi am màireach e." Chan fhaca sinne a bheag de'n sin. Bha na chunnaic sinne dhiubh èasgaidh, dèanadach. 'S ann ainneamh a chitheadh tu luchd-frithealaidh a bha cho luath air an casan, cho deas air an obair ris na gillean a bha frithealadh nam bòrd anns an tigh-òsda: chan fhaca mise daoine eile aig an robh alt cho grinn sgiobalta riutha air sgiolgadh chnàmh á casan chearc! Fhuair sinn iad, a muigh 's a stigh, earbsach, onorach, tuigseach 's chan urrainn dhomh a chantainn gun d' fhidir mi an rud bu lugha de cheilg no de bhraid 'nam measg, ged a dh'fhaodadh iad sin a bhith ann an ainfhios dhuinne.

Tha móran cràbhaidh 'nam measg. Cha bhiodh tu fada ri taobh nan cailleachan air na séisean ris a' chladach gun iad faighinn rian a chor-eigin air tighinn air creideamh, dìreach mar gum b'ann an eileanan na Gàidhealtachd a bhiodh tu. Air an t-Sàbaid bha triall dhaoine do'n eaglais, agus gach nighean is beannag bheag aotrom aice 'na làimh gu a càradh air a ceann mus fhaigheadh i a steach. Cha robh e air a cheadachadh do fhirionnach a dhol a steach a dh'eaglais, a Shàbaid no a sheachdain, gun briogais fhada bhith air, agus eadhon air an t-sràid fhéin, cha robh sùil ro dhàimheil air duine le "shorts" no geàrr-bhriogais Bha na h-eaglaisean a chunnaic sinn air an deagh chumail, ged a bha eaglais mhór, aosda a' bhaile glé fhuarraidh 'na broinn. Tha làithean-féille aca 'gan cumail mar an àitean eile 'sam beil an creideamh Caitliceach làidir. Chunnaic sinn, aon latha, a h-uile bàta is eathar a bha 'san lamraig air an sgeadachadh le brataichean is rìomhachas de gach dath, is easbuig 'gam beannachadh mus tòisicheadh an t-iasgach. Dh'innseadh dhuinn gum b'e Latha Féille "Our Lady of the Seas" a bh'ann. Nuair a thàinig am feasgar chaidh earrainn de'n t-sràid ris a' chladach a chuartachadh le ròp, agus bhathas a' danns' an sin fo sholuis ioladhathach, co-dhiùbh gu meadhon oidhche, nuair a dh'fhàg sinne iad. Bha iad uile gu rianail dòigheil, agus ged a bha conastabuil ann, agus iad uile fo airm mar anns gach baile, cha d'fhuair iad móran ri dhèanamh.

Chan eil dad a dh'fhios agam dé an seòrsa fòghluim a thathas a' faighinn ann, ach gun sheas sinn a stigh ann an sgoil bhig ris an t-sràid, bho'n cuala sinn fuaim teagaisg a' tighinn. Ged is ann gun chuireadh a chaidh sinn a steach, ghabh an t-oide ruinn gu coibhneil. Bha mu dhusan gille modhail gasda aige innte, agus gach nì mar a gheibhear ann an aon sam bith de na sgoiltean eaglais anns an dùthaich againn fhìn. Ged nach robh sinn a' tuigse a chéile ro mhath 's gun facal aig an dara duine de chainnt an fhir eile, chaidh againn air fiosrachadh a chéile an dòigh-eigin. Cha do shaoil mi gun robh e fhéin glé fhoghluimte, oir bha e a' sgrìobhadh gach nì air a' bhòrd, mar gum biodh aca ris gach leasan ionnsachadh air an teangaidh. Dh'fhàg sinn beannachd aig an duine, a bha 'g obair an teas an t-samhraidh an ceann a dhreuchd cho dichiollach 's a b' aithne dha.

Airson meud an àite, tha museuman math ann. 'S e a' chuimhne as fheàrr a th'agam orra, grinneas an obair iaruinn, lìonmhoireachd is sgeilm nan soithichean criadha, is dealbhan le El Gréco.

Thàinig gach nì gu crìch is thill sinn a rìs gu tuath. Anns an aishealladh tha e uile a' dèanamh aon dealbh grianach, le a chraobhan pailme, a thràighean geala, 's a mhuir dealrach breac le ciadan snàmhaiche 'ga stealladh 's 'ga fhroiseadh, agus iad uile, do'n t-sùil co-dhiùbh, am mullach an sòlais.

GEOGRAPHAIDH NA H-ALBANN

ALBA

Ma sheallas sinn suas air oidhche rionnagaich, chì sinn bann soilleir a' dol bho thaobh gu taobh de'n adhar. Chanadh na seann daoine ris, Slighe Chloinn Uisnich, ach speuradairean, an galacsaidh. Tha iad sin de an bheachd gu bheil e mar chearcall no disc mór, leacach, lìonte le mu 10,000 muillion rionnag agus gach aon de na rionnagan muillionan de mhuillionan mìle bho an te as fhaisg oirre. Is i a' Ghrian aon de na rionnagan sin agus, a réir coltais, tha i faisg air oir a muigh a' ghalacsaidh.

Nis, tha farsaingeachd a' chruthachaidh cho mór is nach ruig breithneachadh dhaoine ach air iomall beag dith. Ruithidh gath soluis 186,000 mìle, no eadar seachd is ochd uairean timcheall an t-saoghail, ann an diog. Thig e bho an Ghréin a tha 93,000,000 mìle bho an Talamh, ann an còrr is ochd mionaidean. Ach bheireadh càr, is e ag astar trì fichead mìle gach uair a thìm, a dh'oidhche 's a latha, seachdain an déidh seachdain, bliadhna an déidh bliadhna, 176 bliadhna a' ruighinn na Gréine, ach ruithidh gath soluis an t-astar sin ann an còrr is ochd mionaidean. Bho an rionnag as fhaisg oirnn bheir gath soluis ceithir bliadhna air an t-slighe, ach bheireadh càr, is e a' siubhal gun stad tri fichead mìle gach uair, 44,640,000 bliadhna. Tha galacsaidh Slighe Chloinn Uisnich cho farsaing is gun toir gath soluis 100,000 bliadhna a' dol bho an oir-a-muigh air aon taobh gu an oir-a-muigh air an taobh eile. Smaoinichibh, 100,000 bliadhna, is e dol 186,0000 mìle gach diog!

Mór is farsaing is mar tha Slighe Chloinn Uisnich, chan eil innte ach iomall beag de fharsaingeachd na cruthaidheachd. A réir coltais, tha muillionan ann de ghalacsaidhean rionnagach coltach rithe, ach chan fhaicear iad ach le còmhnadh gloine-astair. Tha gloine aig na h-Ameriganaich le sùil-mhór a tha 200 eòrlach a leud. Chithear leatha galacsaidhean a tha cho fada muigh is gun toir solus 2,000,000,000 bliadhna a' tighinn thugainn. Tha sin a' ciallachadh gu bheilear 'gam faicinn leis a' ghloine-astair, chan ann mar a tha iad an diugh, ach mar a bha iad bho chionn dà mhìle muillion bliadhna air ais; oir thug an solus a thathas a' faicinn leis a' ghloine an diugh an ùine sin g'a ruighinn. Chan eil fhios dé cho fada air taobh thall sin agus a tha galacsaidhean eile, ach tha fios gu bheil iad ann.

Mar a thubhaistear, tha Slighe Chloinn Uisnich air aon de na galacsaidhean móra sin, agus is i a' Ghrian aon de na deich mìle muillion rionnag anns an t-Slighe sin. Tha teaghlach reultan no phlanaidean aig a' Ghréin i-fhéin, an Talamh air aon diubh, agus aig an Talamh tha aon phlanaid bheag ris an canar a' Ghealach. Beag is mar tha a' Ghrian an coimeas ri slighean farsaing a' chruthachaidh, tha i cho mór agus gur gann a dh' fhairicheadh i cruinne na Talmhainn 'na sùil, ach sùil a bhith aice. Agus tha an Talamh fhéin mór da-rìribh an taca ris a' mhìr bheag dheth tha sinn a' dol a rannsachadh anns na h-earrainnean so. Is e am mìr sin ar dùthaich fhìn, ALBA.

Thoireamaid a nis sùil air map an t-saoghail, no rud as fheàrr, air cruinne, agus lorgamaid na h-Eileanan Breatannach dìreach 'na theis-meadhon. Chì sinn cho fìor bheag agus a tha Alba an coimeas ri uile thìr thioram na Talmhainn. Chan eil i ach an dà cheudamh earrainn deug dith. Chì sinn mar an ceudna cho goireasach agus a tha i air a suidheachadh, mar gum b'eadh, an achlais na Roinn Eòrpa. Air gach taobh, ach a mhàin a deas far a bheil a crìoch ri Sasuinn, tha an Cuan-a-Siar ag iadhadh a cladaicheann. An iar is an iar-dheas tha slighean cuain fosgailte do dhùthchannan Ameriga, Africa agus Aisia-a-deas, agus an ear 's an ear-dheas, gu dùthchannan na Roinn Eòrpa. Air na slighean sin tha tighinn thugainn ás gach ceàrnaidh mu'n iadh a' ghrian móran de ar feumalachdan, nithean nach b'urrainn dhuinn an diugh dèanamh an gnothaich ás an aonais. Orra cuideachd, tha dol bho ar cladaichean gach badhar a dh'fheumas sinn a reic an iomlaid na tha sinn a' ceannach bho dhùthchannan céine.

Ma bha am muir 'na ghoireas 'na shochair is 'na dhìon bho dh'fhàs Alba làidir an comh-cheangal ri Sasuinn, cha robh e an tùs ar n-eachdraidh mar sin uile gu léir. Is ann thairis air a thàinig gach cinneach eilthireach ach a mhàin na Sasannaich, a fhuair ceannas, no a thug uair no uaireigin riasladh fhuilteach, air luchd àitich ar tìr. B'ann diubh sin Cnaganaich a' chinn chruinn, na h-Ibeirich, na Ceiltich—Breatannaich, Cruithnich, agus Gàidheil, na Ròmanaich agus na Lochlainnich. Chan eil eachdraidh againn a chaidh a sgrìobhadh aig an am, agus a tha co-aosda ri tighinn nan cinneach sin ach a mhàin air na Ròmanaich, na Gàidheil agus na Lochlainnich. Ann an litreachas na Gréige is na Ròimh, gheibh sinn iomraidhean beaga air na h-Eileanan Breatannach tha dol cho fad air ais ri 500 bliadhna roimh Chrìosd.

B'e a' chiad duine thug iomradh air na h-eileanan againn fear

Himilco a thàinig anns a' bhliadhna sin á Cartaids, baile bha uaireigin faisg air far a bheil baile Thunuis, an ceann a tuath na h-Afric. Sheòl esan mu ar cladaichean is dh'fhàg e cunntas air a thuras, agus ged a chailleadh an cunntas fhéin, thog feadhainn eile pronnagan ás a tha fhathast an làthair. Chan eil fhios le cinnt có iad na treubhan a bha ag àiteach na tìre aig an am. Cha mhotha tha fhios againn an robh am facal BREATAINN air a thogail an uair sin, oir tha e coltach nach robh e air a chleachdadh gu cumanta. B'iad na h-ainmean a ghnàthaich Himilco air Breatainn is Eirinn ALBION is IERNE.

Faisg air dà cheud bliadhna an déidh Himilco thàinig Greugach d'am b' ainm Pytheas 'sa' bhliadhna 320 R.C. le còmhnadh bho mharsantan Marsilia (Marsailles), baile tha faisg air bun abhainn Rhoin. Rinn esan fìor rannsachadh mu chladaichean Bhreatainn, agus bha móran eòlais a thog e air a chraobhsgaoileadh a measg nan Greugach agus nan Eadailteach. Bha na h-ainmean, Breatainn agus Eire, air bheagan dealachaidh, air bilean an t-sluaigh aig an am, agus bha cuideachd grunnan math threubhan de an luchd àitich air an ainmeachadh leis.

Chithear le sin nach robh na Ròmanaich idir gun eòlas air na h-eileanan againn, agus sin fada mus do chuir Caesar cas air talamh Bhreatainn. B'e an càbhlach Ròmanach a chuir cuairt air ceann a tuath Albann nuair a bha Agricola a' fiachainn ri cìosnachadh ar dùthcha, bu mhotha a thug dhaibh a dh'eòlas mu laighe is mu chor ar tìr. Bho an eòlas a thogadh ri linn an turais sin agus bho fhir-cuairt eile an déidh sin, dheilbh fear Ptolemy. Greugach á Cathair Alasdair, map Bhreatainn a tha air leth neònach. Cia air bith ciamar a thachair e, tha na tha tuath air abhainn Tyne agus Bàgh Solway air a thionndadh dìreach gu'n ear, air dhòigh is gu bheil an oirthir an iar gu tuath. Ach a mhàin an car neònach sin, tha a' mhap iongantach fìrinneach airson an ama a bh'ann. Thug Ptolemy dhuinn móran ainmean, eadar lochan is aibhnichean, bhàghan is rubhannan, threubhan is bhailtean, ainmean a tha cumail cagnaidh ri sgoileirean gus an latha an diugh. Chan eil teagamh sam bith nach e cainnt Cheilteach a bhathas a' bruidhinn aig an am, agus eadhoin aig am Phytheais (320 R.C.). Tha e coltach gur h-e Cruithnich, no Breatannaich de threubh nan Cuimreach, a bh'anns an luchd àitich. Cha robh na Gàidheil, am beachd cuid, air a thighinn á Eirinn gu dhà no trì cheudan bliadhna an déidh a' mhap a bhith air a deilbh.

Mìltean bliadhna mus do chuir na Ceiltich cas air tìr, tha e coltach gun robh daoine ann a bha tighinn beò air éigin an achlaisean nan cladaichean, gu h-àraidh air taobh siar na dùthcha. Có a b'iad no co ás a thàinig iad, chan eil fhios le cinnt, ach tha cuid a' cumail a mach gur h-ann ás an Fhraing no an Spàinn, agus gun ràinig iad Alba le bhith linn an déidh linn a' gobachadh 'nan curaichean suas ri oir a' chladaich air taobh siar Shasainn agus Albann. Tha fhathast ri am faicinn an uamhan 's an uaighean, am bothagan, fo thalamh 's os a chionn, agus an seann làraichean iomadh fuidheal a dh'fhàg iad agus a tha an diugh 'nan teisteas air an dòigh beatha agus air an inbhe mar dhaoine.

A measg nan iomadh treubh a thàinig tonn air thonn gu ceàrnaidhean iomallach na tìre, no a sgaoil beag air bheag thairis oirre, bha Cnaganaich a' chinn chruinn, a fhuair an ainm bho chnagain a thathas a' faighinn 'nan uaighean, agus na h-Ibeirich, a bha rud-eiginn daithearr 'sa' chraiceann is dubh am falt 's an sùilean agus a tha fhathast gu math làidir an dual ar daoine. Tha e coltach gum b'e na Ceiltich an ath chinneach a thàinig 'nan déidh-san. A réir beachd cuid thàinig iad a Bhreatainn an toiseach mu'n bhliadhna 400 R.C. Bha iad ann an Arcaibh mun tàinig Pytheas 'sa' bhliadhna 320 R.C., agus bha iad air còmhdachadh Bhreatainn uile mun tàinig Caesar ann an 55 R.C., ged a dh'fhaodadh e a bhith gun robh am mór-shluagh am meadhon na dùthcha de chinneach bu shine 'san tìr na iad. Thàinig an sin na Ròmanaich mu 800 D.C., ach ged a thug iadsan sgrìoban cho fada tuath ri Eilginn, cha do chìosnaich iad ach na bha deas air na h-aibhnichean Cluaidh agus Foirthe. Dh'fhalbh iad gu tur ás mu'n bhliadhna 410 D.C.

"Cha tàinig Gàidheal a dh'Alba nach tàinig air bàta á Eirinn" their cuid de sgoileirean, agus gun teagamh air bith thàinig àireamh mhath Ghàidheal á Eirinn mu'n bhliadhna 500 D.C. Rinn iadsan an dachaidh an Oirthir Ghàidheal, a th'air ainmeachadh orra gus an latha an diugh. Thathas a' cumail a mach gur h-ann leothasan a thàinig a' Ghàidhlig a dh'Alba an toiseach, nì a tha cruaidh air cuid a chreidsinn. B'e na Lochlainnich an ath chinneach a bhrist a steach. Thachair so aig deireadh na h-ochdamh linn, agus anns an ath cheud bliadhna fhuair iad gréim teann air taobh siar na h-Albann bho Eilean Mhanain gu ruige Sealtainn agus air an taobh sear gu ruige na h-Aibhne Glais (no Farar). Aig an aon am, no beagan roimhe, bha na Goill a' tolladh a steach bho dheas agus a' sgaoileadh gu tuath air an taobh sear, gu h-àraidh bho phòs Calum Ceannmór a' bhana-phrionnsa, Màirearad. Bha Ghàidhlig air a bruidhinn air feadh Albann uile mu'n am sin, ach fhuair a' Bheurla beag air bheag làmh an uachdair gus a nis a bheil i air sgaoileadh thar Albann uile. Tha gun teagamh a' Ghàidhlig beò, fallain fhathast anns na h-Eileanan an Iar, ach tha i gu mór air fannachadh air a' Mhór-thìr.

Is iongantach gu bheil cinneach a rinn an dachaidh an Alba anns na ceithir mìle bliadhna mu dheireadh nach do dh'fhàg an lorg ann an ainmean nan àitean. Chan eil e furasd an diugh eòlas cinnteach fhaighinn air tùs nan ainmean no có a b'iad na daoine a thog iad. Chaidh an cur á cruth cho mór mar a bha an sluagh ag atharrachadh 's gu faighear cuid dhiubh an diugh 'nan isein deireadh linn ann an riochd na Beurla Gallda no na Beurla Sasunnaich. Gheibh sinn cuid mar gum biodh tréine, a' slaodadh leotha eachdraidh an àite, mar a tha Rubha Robhanais (Rubha Robha-rubha), Dunbhuirgh (Dùn-dùn), Ardlaw Hill (Cnoc-cnoc Cnoc). Chì sinn anns na facail sin gun robh an ciad ainm air a mhìneachadh ás ùr ann an cainnt nan eilthireach mar a bha iad sin a' faighinn laimh-an-uachdair. Tha am facal *ard* ann an Ardlaw, cnoc tha faisg air Ceann Phàdraig, 'na theisteas buan gun robh a' Ghàidhlig air a labhairt an sin roimh an Ghall-bheurla. Ach a thaobh an dà ainm eile, is iongantach mura h-e na h-ainmean Lochlainneach aig an robh toiseach air a' Ghàidhlig. Tha cuid eile ann nach fhaighear ciall dhaibh ann an cànan air bith as aithne do dhaoine an diugh, mar a tha na h-ainmean Farar, Loch Aillse agus grunnan eile.

Dh'fhàgadh againn leis na Cruithnich facail mar PEITIGH (Petty), agus leis na Breatannaich facail mar PENPONT (Ceann-na-drochaid), ALCLUTHA (Dùn-Breatainn) agus CAER-PEN-TALOCH (Kir-kin tilloch):

leis na Ròmanaich, ainmean mar BONCHESTER:

leis na Gàidheil, mìltean dhiubh, mar BAILE-DHUBHAICH (Tain), BAIL'AILEIN, GAIRBHALLD agus SIDHCHAIL-LEANN;

leis na Lochlainnich, mìltean eile, ainmean mar TOLASTADH, DIABAIG, BHATARNIS, UIG, PARBH, agus iomadh facal le Bost, Borg, Bhal, Ear- no Eoro-, Dail, Cleit no Cleitir, Nis, Siadar, Bhat (Langabhat, Olabhat), Sgeir, etc., mar phàirt diubh.

CUMADH

O 's cuimhne le daoine cha tàinig móran atharrachaidh air cruth na h-Albann. Tha e le sin duilich a chreidsinn nach robh i air an aon chumadh bho thoiseach tìm. Ach fada, fada 'n t-saoghail, muillionan bliadhna, mus robh bith-beò air uachdair an fhuinn, bha clàr na dùthcha uairean ciantan ùine fo'n uisge, uairean ciantan ùine os a chionn. Thigeadh tulg ann an slige na talmhainn is ruitheadh an cuan a steach innt. Ann an cùrsa mhuillionan bliadhna, rachadh an tulg beag air bheag 'na h-amar farsaing, mìltean a dhoimhne agus uairean dhà no trì cheudan mìle a leud. Cha bhiodh Alba ri a faicinn. Ach fad na h-ùine, bhitheadh uisge, teas is reothadh a' bleith 's a' caitheamh sìos na h-àrd-thìr air gach taobh, gu h-àraidh aig na h-iomallan. Bha tuiltean is aibhnichean a' giùlan na gainmhich 's na làthaich chun a' chuain, far an robh iad a' sìoladh sìos 'san doimhne, dith air muin dith. Ann an cùrsa nam muillionan bliadhna, thigeadh doimhne is cudthrom na làthaich gu bhith cho mór, is gun robh na dithean ìosal a' dol 'nan cloich. Ma sheallas sinn air oir creige, chì sinn ann an iomadh àite a' chreag 'na ruitheanan, leac air lic, dith air dhith, dìreach mar a shìolaidh 's a chruaidhich na dithean làthaich an grunnd amaran a' chuain.

Uaireanan thigeadh, air dà thaobh de amar, bho ghluasadan ann an slige na talmhainn, bruthaidhean cumhachdach a bha ag aobharachadh a bhruaichean a thighinn dlùth d'a chéile. Sgiolgadh sin na dithean làthaich is creige an doimhne an amair, beag air bheag, 'nan dromannan àrda os cionn nan uisgeachan. Is ann mar sin a dh' éirich beanntan na h-Albann, agus gach sreath bheann eile air uachdair an domhain, oir chan eil aon diubh nach robh uaireigin 'nan lathaich no 'nan gainmhich an doimhne a' chuain. Feumaidh gur h-ann bho'n iar-thuath agus bho'n ear-dheas a thàinig na bruthaidhean a thog Alba suas os cionn na mara, oir tha ruith nam beann fhathast bho 'n ear-thuath gu'n iar-dheas.

Am feadh a bha sin a' tighinn gu ìre, thàinig sgàinidhean ann an slige na talmhainn. Bhrùchd creag leaghte, no làbha, troimh na sgàinidhean, agus ann an àitean thàinig i an uachdair is sgaoil i air gach taobh. Ann an àitean eile thàinig i troimh sgàinidhean anns na dithean ìosal, agus nuair nach deach aice air toll a dhèanamh anns na dithean àrd, sgaoil i fotha agus thog i suas 'nam beanntan iad. Bha i an sin troimh linntean gun àireamh, a' cruadhachadh ann an slugain nan toll. Nuair a chaith 's a

110

bhleith na siantan sìos na dithean mullaich, chaidh fàgail ris a'
chreag loisgte anns na slugain. Is ann dhiubh sin Creag Dhun-
Eideinn, Am Bas agus Ard Bhearuig. Tha cnuic eile ann, mar na
Sidhbheannan, na h-Ochaillean, Meallan Champsaidh agus Aird
Rinn-friu a chaidh a thogail de sgaoilteach làbha a bha air a

111

bruthadh 'na dromannan; cuid eile, mar a tha Creagan Shalasbur-aidh, de làbha a bha air a dinneadh eadar dithean creige agus a thàinig ris le bleith nan siantan.

Bha dha no trì de sgàinidhean a thachair mu'n am sin a thug atharrachadh mór air uachdair na tìre. Is aon dhiubh sin an Gleann Mór: chan e mhàin gun do sgàin an talamh ach shleamhnaich an taobh deas beagan gu'n iar-dheas. Bha sgàineadh eile suas ri oirthir an Eilein Duibh agus taobh sear siorrachd Rois, a dh'fhàg rud-eigin dìreach iad gus an latha an diugh. Ach is e an dà sgàineadh mhór 'san aon ruith ri Ard-thìr Chailleann, aon bho Bhail-Eilidh gu ruige Steinhamhna agus aon eile bho Ghirbhinn gu Dunbàrr, a rinn an t-atharrachadh bu mhotha. Shìolaidh an talamh eatorra beag air bheag gu doimhne mhóir. Mar a bha e a' dol sìos bha aibhnichean a' taomadh thairis air gainmhich is làthaich, a chaidh ri ùine 'nan gnè chreig iad fhéin. Aig aon am bha earrainn de'n talamh sin 'na bhoglaich, agus a chionn gun do thachair aimsir theth a bhith ann fad linntean, dh'fhàs coille dhùmhail ann. Lean i a' fàs agus a' tuiteam gus an robh tighead mhór chraobh 'nan sléibhtrich ri làr. Chum an talamh air a' sìoladh, agus dhòirt na h-aibhnichean fad bhliadh-naichean gun àireamh mìltean traigh de dhithean gainmhich agus làthaich os a chionn. Mu dheireadh chaidh na craobhan, le meud a' chudthroim, 'nan gual. Nach e an smaoin e, gu bheil sinne an diugh a' faighinn o ghual na Machrach Gallda a' bhlàiths a shùigh na craobhan o'n ghréin muillionan bliadhna air ais!

Thàinig iomadach atharrachadh eile air cuid de dh'Albainn o'n uairsin. Nuair a bha na beanntan Alpainneach ag éirigh, bha gluasadan cumhachdach a' bruthadh fonn na h-Albann cuideachd. Ach bha Ard-thìr Chailleann, tha e' coltach, cho tiugh is nach deach i 'na dromannnan mar a chaidh na h-Alpan. Sgàin i an sud 's an so, is b'e an talamh sìoladh sìos, mu'n am so, eadar dà sgàineadh a dh'aobharaich Cuan na Moill agus am Muir Sgìth.

Mar a thachair aig amannan eile de'n t-seòrsa, bhrùchd, ri linn nan gluasadan sin, móran làbha troimh na sgàinidhean agus sgaoil i troimh earrainn mhóir de'n Mhoill, bho thuath air an Eilean Sgitheanach a deas gu Muile agus eadhoin gu ceann-a-tuath na h-Eireann. Bha móran theine-bheanntan aig an am a' séideadh os an cionn tigheadan luathainn is làbha. Ann an àitean eile, mar cheann-a-tuath an Eilein, bha an làbha a' sgaoileadh eadar na dithean creige. Nuair a sguir a' chreag-leaghte a thighinn fodha, chruaidhich i mar thùcan anns na slugain. Troimh na linntean

chaith na siantan a' chuid bu bhuige de na creagan agus chaidh
fàgail nan creag bu chruaidhe. B'iad sin a' chuid a chruaidhich
anns na sgàinidhean agus anns na slugain troimh an robh a
chreag-leaghte a' taomadh a mach. Chì sinn sin anns an Eilean
Sgitheanach, oir is e beanntan a' Chuilidhinn a' chreag a
chruaidhich ann an surragan nan teine-bheann; agus b'e na
surragan da-rìribh iad. Ann an ceann a tuath an Eilein cuideachd,
chì sinn aonaichean réidh le ruitheanan làbha aig caochladh
àirdean an oir nan creag; agus cnuic le mullaichean còmhnard de'n
ghnè cheudna, mar a tha Healabhal Bheag agus Healabhal Mhór.
Chì sinn an dearbh nì am Muile: tha làbha fhathast ri a faicinn
air mullach na Beinne Móire, a bha uaireigin a thrì no cheithir
àirde 's a tha i an diugh. Ann an Eilean Stafa chaidh a' chreag
leaghte 'na colbhan móra a tha 'nan ioghnadh do'n t-saoghal.

'Na dhéidh so cha tàinig atharrachadh mór sam bith air nasg
na tìre, ach thàinig caochladh nach bu bheag air a clàr. Mu
mhuillion bliadhna air ais thòisich an aimsir air fàs fuar, agus le
ùine thàinig am fuachd gu bhith cho mór is gun robh uachdar
na tìre fad linntean fo thighead mór deighe, mar a tha an Tìr-
uaine an diugh. Faodaidh gun robh barrachd air aon linn deigh
ann. Co-dhiùbh bha am ann a thàinig am fuachd gu ìre a bha
sruth farsainn deighe a' tighinn o bheanntan Lochlainn gu ruige
Moireabh, agus o àrd-thìr na h-Albann gus na h-ìslean an Albainn
is an Sasainn. (Tha clachan a ghiùlain na sruthan air an t-slighe
'nan dearbhadh air an sin). Sgrìob an deigh le cudthrom a
gluasaid na bha de thalamh air uachdar an fhuinn, agus chladhaich
i na lagan eadar dhromannan nam beann 'nan glinn dhomhainn,
gu h-àraid far an robh creag chruaidh a' cuingealachadh a slighe.
Nuair a thàinig aimsir bu bhlàithe, lìon na glinn dhomhainn, cuid
le uisge agus cuid le sàl. Is ann mar sin a rinneadh Loch Nis a
tha 900 traigh an doimhne, Loch Morar a tha 1100 traigh agus
Loch Coruisg, agus na lochan mara air taobh tuath is taobh siar
na h-Albann, far na ruith am muir a steach do no glinn a
chladhaicheadh leis an deigh. Tha so gu h-àraidh faicsinneach
anns na lochan mara an Earraghàidheal. Mar is trice gheibh sinn
surragan domhainn annta an taobh a stigh de dh'oitirean tana, fìor
chomharr gur h-e sruthan deighe a chladhaich iad is nach eil anns
a' mhór chuid diubh ach glinn bhàite.

Thàinig atharraichidhean eile air aghaidh na dùthcha ri linn
nan sruthan deighe. Chì sinn ann an iomadach àite eisgearan beag
is mór—'s e sin tuim mhorghain is chriadhadh a dh'fhàg na

sruthan ás an déidh. Ann an àitean, ghlas am morghan uisge nan gleann, a' dèanamh lochan dhiubh. Is ann mar sin a thàinig Loch Ba am Muile gu bhith ann.

Cha do sguir na h-atharraichidhean an uairsin. Tha am muir is na siantan gun thàmh a' bleith is a' bristeadh sìos an so agus a' togail suas an sud cladaichean is clàr ar dùthcha. Tha muil is fidichean is innseachan a' dol am meud, beanntan a' dol an ìslead is glinn an doimhnead, ach sin cho fàilidh is nach cuir duine umhail orra.

Airson rannsachadh cothromach a dhèanamh air an dùthaich, faodar Alba a roinn 'na trì earrannan:

(1) An Ard-thìr a Tuath,

(2) A' Mhachair Ghallda, agus

(3) An Ard-thìr a Deas.

Rinn an dà sgàineadh mhór a dh'aobharaich a' Mhachair Ghallda sìoladh sìos na roinnean sin gu nàdurrach. Faodar gach aon dhiubh sin ath-roinn a réir gnè gach ceàrnaidh, a chum an t-iomradh a dhèanamh soilleir.

AN T-EILEAN SGITHEANACH

Tha an t-Eilean Sgitheanach 'na laighe an iar air tir-mór siorrachdan Inbhir-nis agus Rois agus dealaichte bhuapa le caolas cumhang ris an canar An Linne Shléibhteach. A rèir beachd dhaoine fiosrach, tha am facal Sgith a' ciallachadh 'geàrrte' no 'sgiathach' no 'eangach.' Bho shean chanadh na bàird An Clàr Sgìth ris an eilean, agus gus an latha an diugh canar An Cuan Sgìth ris a' mhuir eadar e agus an t-Eilean Fada. Aon sùil air a' mhap agus chì sinn cho freagarrach agus a tha an t-ainm. Mar a thubhairt a' bhana-bhàrd, Màiri nan Oran:

Tha do lochan rìomhach
Sìnte stigh feadh eang,
A' dealachadh bho chéile
Réidhleanan is bheann.

Gheibh sinn glé thràth an eachdraidh na h-Albann 's na h-Eireann criomagan beaga mu thimcheall. Thadhail cabhlach

Ròmanach e anns a' chiad linn an déidh Chrìosd. Is iongantach mura h-ann bho 'n fhiosrachadh a fhuair iad sin uime a chaidh aig a' Ghreugach, Ptolemy bho Alecsandria (Cathair Alasdair), àite a thoirt dha anns a' mhap de Bhreatainn a dhealbh e mu'n bhliadhna 120 A.D. Tha iomradh cuideachd air sgrìob a thug Calum Cille ann anns a' bhliadhna 585 A.D., agus e fiachainn ri iompachadh taobh tuath na h-Albann chun a' chreideimh Chrìosdaidh. A rèir coltais, is e seòrsa de Ghàidhlig a bhathas a' bruidhinn ann aig an am sin.

Tha fhios againn gun robh na Lochlainnich 'ga àiteach fad 400 bliadhna is còrr gus an robh aca ri fhàgail an déidh blàr na Leirge a chaidh a chur 'sa' bhliadhna 1263. Mar thoradh air an tàmhachd fhada sin, gheibhear fhathast a measg nan eileanach iomadh sgeulachd mu thachartasan an ama sin, is gus an latha an diugh tha fìor chruth Lochlainneach air móran de dh' ain-meanan nan àitean. A thuilleadh air sin tha fuil nan Lochlain-neach fhathast a' ruith gu bras an cuislean nan Sgitheanach. A rèir beul-aithris is ann bhuapa thàinig Clann 'ic Leòid agus, an tomhais mhóir, na Dòmhnallaich.

B'e fear Leot bu phrìomh athair do na Leòidich. Bha dà mhac aige, Torcuill agus Tormad. Le bàs athar fhuair Tormad còir air an Eilean uile ach a mhàin Bhatairnis agus Raarsaidh is Rònaidh, a chaidh a thoirt maille ri Eilean Leódhais do Thorcuill mar oighreachd. Thachair so 'sa' bhliadhna 1280. Mar an ceudna bu leth Lochlainneach a bh'ann an Somhairle, prìomh-athair nan Dòmhnallach, agus b' fhìor Lochlainneach athair-céile, Olghair Ruadh. Mharbhadh Somhairle 'sa' bhliadhna 1164.

Bha an dà fhine sin fada a' caigeadh air a chéile, is cha deach a' chùis na b'fheàrr an déidh do MhacDòmhnaill, Tighearna nan Eilean, seilbh a thoirt do a mhac, Uisdean, air Sgìre Shléibhte anns a' bhliadhna 1469. Gus an latha an diugh canar Clann Uisdean ri Dòmhnallaich Shléibhte as déidh a' mhic so. Anns a' bhliadhna 1528 thug na Dòmhnallaich Tròdairnis bho Chloinn 'ic Leòid, nì a dh' aobharaich droch fhuil eadar an dà fhine fad ùine mhóir. Ré nam bliadhnachan sin chuir iad an gnìomh air a chéile iomadh olc oillteil, ach an déidh do Rìgh Seumas V tadhal anns a' bhliadhna 1540 am Port-rìgh, baile tha air ainmeachadh air, thàinig na fineachan, a lìon beag is beag, gu bhith na bu chneasda ri chéile. Chaidh am blàr mu dheireadh—Blàr Choire na Creiche, anns a' Chuilitheann—a chur eatarra anns a' bhliadhna 1601.

Cha robh Clann MhicFhionghain an t-Sratha cho lìonmhor ris an dà fhine eile, ach bhuineadh iad do'n eilean fada mus d' fhuair Clann Dòmhnaill còir air fàd deth.

Bu rìoghalaich na fineachan sin uile, 's cha bu ghann nach do chrean iad air an dìlseachd do na Stiùbhartaich, gu h-àraidh Clann 'Ic Leòid, a chaill ach beag am fir uile aig Blàr Worcester. Ach fhuair iad cho beag taing bho Rìgh Tearlach II 's gun tug iad bòid nach éireadh iad gu bràth tuilleadh mar fhine ás an leth, agus cha do rinn iad sin. Ged nach d' éirich a dh'aon chuid Clann 'Ic Leòid no Clann Dòmhnaill le Prionnsa Teàrlach an 1745, thug iomadh Sgitheanach làmh-chuidich dha. Chuir dìlseachd Fhionghaill NicDhòmhnaill, Dhòmhnaill MhicLeòid, is Chlann 'Ic Fhionghain sgeilm air ainm an eilein tha fhathast 'na tharraing do luchd-turais.

Nuair a sguir na fineachan a tharagadaireachd air a chéile is nach robh eagal cogaidh no creiche air na cinn-chinnidh, chaidh na mithean sìos am prìs agus am màl suas. Dh'fhàg móran d'an deòin an cuid fearainn, o 'n bha e cruaidh leotha am màl ùr a phàidheadh. A dh'aindeoin sin dh'fhàs an sluagh cho lìonmhor is nach robh de phòr a' fàs daibh na chumadh an teaghlaichean gun dìth. Aig a' cheart am bha tuathanaich-chaorach o dheas a' tairgse àrdachadh màil do na h-uachdarain gu ìre nach b'urrainn do na h-ìochdarain a phàidheadh. Bha cuideachd bàillidhean is luchd-fearainn chìocrach, shanntach nach b'urrainn an sàth fhaighinn de chuid chàich a' cur bhailtean bàn a' fuadach nan daoine chum an tuilleadh fearainn fhaighinn dhaibh fhéin. 'Se bun a bh'ann gun thogadh bho'n fhearann móran theaghlaichean, is chaidh am fuadach, cuid thar chuain, is cuid do bhailtean móra an taoibh deis.

> "Có aig a bheil cluasan
>   No cridhe tha gluasad beò,
> Nach seinneadh leam an duan so
>   Mu'n truaighe thàinig oirnn.
> Na mìltean a chaidh fhuadach,
>   Toirt uath an cuid 's an còir,
> An smaointean thar nan cuantan
>   Gu Eilean Uaine Cheò."

Thachair sin gu h-àraidh anns a' chiad leth de'n naodhamh linn deug. An àite nan daoine thàinig caoraich, cìobairean is coin.

116

"Nuair a nochd mi ris an àit
Far an robh mo shluagh a' tàmh,
Coin a' comhairtich ri m' shàil
A' cur na fàilt orm cho fuar."

An diugh 'sann a tha am fearann a' dol bàn a dhìth dhaoine.
A dh' aindeoin cho math dheth is a tha an sluagh, 's nach robh an
cor saoghalta a riamh cho socrach, tha bara na h-òigridh air
falbh bho'n tigh is an taobh-deas 'gan tàladh.

CRUTH IS CLAR NA DUTHCHA

Tha an t-Eilean Sgitheanach 'na laighe an iar air tir-mór
siorrachdan Inbhirnis is Rois, leis a' chaolas cumhang, an Linne
Shléibhteach, eadar e is iad. Tha e dìreach a tuath air a' cheum
latitude 57 agus tha an 6mh ceum longitude a' ruith, ach beag,
troimh a mheadhon, nì tha leigeil ris dhuinn gu bheil àird a'
mheadhon latha 24 mionaidean an déidh meadhon latha Ghreen-
wich. Tha e mu lethcheud mìle a dh'fhad agus, ged nach eil bad
dheth nas fhaide na ceithir mìle bho'n mhuir, tha e, aig a leothad,
24 mìle de thalamh tioram a leud.

Ann an cumadh, tha e mar ghiomach mór le a spògan
góbhlach sìnte mach troimh chuan na Maoile. Is e an gnè creige a
tha fo 'n uachdair a dh'fhàg an cumadh sin air. Tha a chruth le
a lochan eangach mara, agus a chlàr, le a bheanntan 's a
dhromannan, 'nam fianuis gus an latha an diugh air tachartasan
linntean muillionan bliadhna air ais.

Is ainneamh am mìr sin de'n talamh a fhuair, anns na ciantan
sin, a riasladh mar a fhuair an t-Eilean Sgitheanach. Nuair a bha
àrd-thìr Chailleann ag éirigh beag air bheag o dhoimhne chuain
gu bhith 'na h-aonaichean àrda, bha an t-eilean troimh an am sin
ceangailte ri tir-mór. Muillionan bliadhna an déidh sin, am feadh
a bha na Beanntan Alpainneach ag éirigh, bha slige na talmhainn
far a bheil an t-Eilean Sgitheanach an diugh air a bruthadh is air
a sgàineadh is air a criothnachadh gu ìre, ann an àitean, a tilgeil,
ach beag, bun os cionn. Is ann mu'n am sin a shìolaidh an talamh
sìos gu doimhne mhóir eadar dà sgàineadh, fear air gach taobh,
far a bheil Cuan na Maoile an diugh. Bha an t-eilean uile, uair is
uair, air a luasgadh troimh na cian linntean sin le crithean-
talmhainn is teine-bheanntan. Chaidh sgaoilteach mhór làbha a
thaomadh a mach á craosan nam beann. Bha i a' ruighinn bho

117

thuath air an eilean seachad air Eilean Mhuile. Cha b' aon uair a thachair na dòirtidhean sin. Bha iad uaireanan a' sgaoileadh fo dhithean nan creag, agus chì sinn an làbha sin an diugh 'na ruithean am bearraidhean nan cnoc.

Dh'éirich na beanntan a bha a' taomadh a mach na làbha gu àirde mhóir. Mu dheireadh sguir an taomadh agus, beag air bheag troimh na linntean, chruaidhich a' chreag leaghte ann an surragan nam beann sin, agus air do na siantan, troimh bhliadhnachan gun àireamh, bleith air falbh nan dithean làbha a bha an uachdar, dh' fhàgadh a' chreag leaghte a bha air cruadhachadh anns na slugain, oir is i a' chreag bu chruaidhe is bu dorra a bleith. Thachair so tuilleadh is aon uair. Tha e coltach gur h-e beanntan a' Chuilithinn Duibh na tha air fhàghail dhuinn de na chruaidhich ann na glomhasan móra sin an toiseach. Thaom an sin creag leaghte mar ghranaid. Bha an taomadh so cho cumhachdach is gun thog i Blàbheinn ás a bun. Is e an Cuilitheann Dearg na tha air fhàgail de'n taomadh so. Bha sgaoiltichean eile ann de chreig leaghte mar làbha ris an canar "basalt." Tha an dà thrian a tuath de'n eilean còmhdaichte le i so. Is e sin as aobhar gu bheil grunnd an eilein cho torach, oir leigidh i an t-uisge troimhpe agus brisidh i 'na mìn-thalamh a tha fìor mhath airson feurach is talamh-àitich.

Leis gach riasladh a bh'ann chaidh na dithean creige a b'aosda na iad sin agus a bha 'nam bonn do'n eilean is do earrainn mhóir de'n t-saoghal, mar a tha an gneis Leódhasach, gainmh-chlach Thoirbheartain, is an leac aoil a bhristeadh, 's a shadadh, 's a lùbadh is fhilleadh air dhòigh a dh'fhàg leac an eilein anabarrach measgaichte. Chì sinn sin gu h-àraidh ann an cuid de Sgìrean an t-Sratha is Shléibhte.

Fada, fada an déidh sin, ach na ciadan mìle bliadhna air ais, dh'fhàs an aimsir anabarrach fuar. Lean i mar sin, le ìoclaithean an dràsda 's a rìs, fad ùine mhóir. Canar Linntean na Deighe ris an aimsir sin. Bha tighead mhór deighe air mullach a' Chuili-thinn, 's i sruthadh 'na h-aibhnichean móra, domhainn air gach taobh. Sguab an deigh leatha a' chreag bu bhuige, gu h-àraidh far an robh sgàinidhean ann an leac-bhoinn na talmhainn. Sin mar a chladhaicheadh Loch Coir'-uisge, a tha móran nas doimhne na uachdar na mara ri a taobh. Bha sruthan deighe eile sìos gu Loch Harapoll, Loch Sligeachain, is gu Port-rìgh. Chì sinn fhathast ri taobh an rathaid eadar an dà àite sin mu dheireadh na tuim mhorghain, no eisgearan, a dh'fhàg iad ás an déidh. O'n

uair-sin cha tàinig móran atharrachaidh air clàr an eilein ach na
rinn na siantan is làmh mhic an duine, is cha bheag sin fhéin.

Is ainneamh duine a théid air chuairt do'n eilean nach tig air
ais le inneas air taise is tlus nan sian. Tha a bheanntan cho tric
còmhdaichte le smùidrich mhìn uisge, is gur dara h-ainm da,
Eilean a' Cheò. Tuigear dé as aobhar do'n taise sin ma leughar
le aire an cunntas a thugadh air clìomaid na h-Albann.

Tha grunnan nithean ann aig a bheil buaidh shònraichte air
na siantan, mar a tha:

1. an t-eilean a bhith anns an latitude 's a bheil e;

2. e a bhith air taobh siar na h-Albann;

3. e a bhith beanntach;

4. Sruth a' Chamais a bhith tighinn dlùth dha;

5. an seòrsa grunnd a tha air uachdar.

Gabhaidh sinn iad anns an òrdugh sin.

1. Leis an eilean a bhith eadar na ceuman latitude 57 is 58,
bhiodh dùil ri aimsir chuimsich, gun i bhith ro fhionnar no ro
theth; oir chan eil uiread de theas na gréine a' ruighinn air 's a
tha a deas no cho beag 's a tha a tuath. Ach tha buaidhean eile
ann a tha a' dèanamh na h-aimsir cunbhalach is tlàth, mar a tha

2. bara na gaoithe a bhith bho'n iardheas. O 'n a tha an t-eilean
'na laighe air taobh siar na h-Albann is air a chuairteachadh leis
a' Chuan a Siar, tha a' ghaoth an iardheas a' tighinn thuige thar a'
chuain sin le luchd de dheataich bhlàith, mhìn a thog i bho
uachdar na mara, cuid dheth an crios ain-teth na cruinne. Tha
buige is blàths a' tighinn an lorg na gaoithe, air chor is gur h-ann
ainneamh a leanas sneachd na reothadh, nuair a thig iad, ach
ùine bheag.

3. Tha a rìs Sruth a' Chamuis a' tighinn gu a chladaichean
leis an teas a shùigh e bho'n ghréin aig Camus Mhexico. Tha sin
a' leasachadh blàths na h-aimsir, oir cumaidh uisge, agus bheir e
seachad, móran teas a bharrachd 's a nì talamh tioram. Tha cuid
de'n teas sin 'ga thogail air a slighe leis a' ghaoith an iardheas.

4. Seach gu bheil an t-eilean cho beanntach tha aig a' ghaoith
ri éirigh anns an dol seachad. Anns an éirigh tha i a' dol an

tainead, no a' sgaoileadh, s a' fàs fuar. Tha sin a' cur na mìn-dheataich 'na boinneagan móra a tha a' tuiteam 'nam frasan. Anns an tionndadh do'n deataich gu uisge tha i a' cur dhith an teas a rinn a togail aig deas fo bhuaidh na gréine. So aon dòigh air faighinn aig tuath an teas a thug a' ghrian seachad aig deas: an teas ceilte, no mar a chanar ris 'sa' Bheurla, *latent heat*.

5. O 'n is i a' chreag bhasalt a tha an uachdar ann an dà thrian de'n eilean, cha chum i an t-uisge fada, oir sìolaidhidh e sìos troimh a pòran. Tha so a' fàgail a' ghruinnd nas blàithe 's nas gnèidheile na tha an scromag uachdrach an Innse-Gall, far a bheil an t-uisge a' laighe 's a' dèanamh na talmhainn fuarraidh.

Tha mar sin an aimsir tlàth ach tais, is a' ghaoth rud-eigin làidir, gu h-àraidh ann an Tròdairnis agus Bhatarnis. Chan eil na h-àitean sin cho fasgach ris a' chuid mhóir de'n eilean, oir tha na croitean ri aghaidh na mara agus rud-eigin àrd agus lom. Tha doimhne 80 òirleach—agus am barrachd aig a' Chuilitheann—a' tuiteam de dh'uisge anns a' bhliadhna ann an cuid a dh'àitean deth. Tha sgìre Shléibhte, agus gu h-àraidh sìos an Aird, nas tiorma na an còrr dheth, oir tha beanntan a' Chuilithinn a' toirt móran de'n uisge ás a' ghaoith anns an dol seachad dhi. An déidh sin tha suas ri 60 òirleach a' tuiteam anns an àite as tiorma dhe'n eilean.

Tha buntanas àraidh aig an t-seòrsa aimsir a tha àite a' meal-tainn ri beatha a luchd-àitich, an aodach, an tighean agus an dòigh anns a bheil iad a' cosnadh am bith-beò. Feumaidh an tighean 's an aodach seasamh ri gaoith is uisge, ach do bhrìgh tlàths nan sian, 'sann a tha an smùidrich uisge a tha gu tric a' tuiteam 'na ùrachadh le muinntir an eilein. Cha chum e iad ach ainneamh bho obair sam bith a tha aca ri dhèanamh. Ach tha an t-eilean a bhith faighinn na h-uiread de dh'uisge 'na aobhar air a' mhór-chuid de'n talamh-àitich a bhith fo fheur, oir tha am foghar mì-chinnteach, agus gu tric am bàrr fadalach agus duilich a' chaoineachadh. Ged tha cuid de mhath na talmhainn a' falbh leis na dòirtidhean uisge, tha fàs mór feòir air a' chòmhnard agus móran bheathaichean 'gan cumail.

SLUAGHMHORACHD

Tha an t-Eilean Sgitheanach air àite cho àluinn is a tha an Albainn. Tha a ghrunnd torach, tha fasgadh ann do dhaoine is do bheathaichean agus, ceithir thimcheall air, tha an cuan-mór le iasg

120

am pailteas do dhuine a théid g' a iarraidh. Shaoileadh neach le sin gum biodh bith-beò furasd a dhèanamh ann agus gum biodh, mar thoradh air sin, àireamh an t-sluaigh a' sìor dhol am meud. Ach chan ann mar sin a thà.

Bha móran dhaoine a bharrachd ann bho chionn 200 bliadhna na tha ann an diugh. A riamh bho 1841, a' bhliadhna a b' àirde àireamh an t-sluaigh, tha gach cunntadh a chaidh a dhèanamh a' nochdadh gu soilleir gu bheil an t-àireamh a' sìor-dhol an lughaid gach bliadhna. Bheir na figearan so shìos a' chùis rud-eigin a steach oirnn:

ann an 1841 bha 23,074 duine ann,
an 1931   10,341
an 1951   8,537

Airson gach ceud duine a bha ann an 1841, cha robh ann ach 37 an 1951. Eadhoin anns an fhichead bliadhna bho 1931 gu 1951 bha an t-àireamh sìos 17 duine ás gach ceud. Ann an Sgìre Shléibhte cha robh ach aon duine innte an 1951 mu choinneamh gach cóignear a bha innte an 1841. Chaidh na sgìrean eile sìos gu mór cuideachd, agus lean iad air dol an tainead, mar a chì sinn bho'n chléith so shìos:

Sgìre	Aireamh an t-sluaigh an cunntadh					
	1821	1831	1841	1851	1931	1951
Cillemhoire - - -		3,415	**3,625**	3,177	1,489	1,136
Snìosort - - -		**3,487**	3,220	3,101	1,265	1,094
Diùrinis - - -		4,765	4,975	**5,330**	2,120	1,583
Port-rìgh - - -		3,441	**3,574**	3,557	1,976	1,750
Bracadal -	**2,103**	1,769	1,824	1,597	1,120	969
An t-Srath - - -		2,962	3,150	**3,243**	1,587	1,382
Sléibhte - - -		**2,957**	2,706	2,531	788	623
An t-eilean - - -		22,796	**23,074**	22,536	10,345	8,537

Tha na h-àireamhan sin ag innse an sgeula fhéin. Bhiodh sgìre Bhracadal gu math na b'ìsle mur biodh na teaghlaichean á Leódhas agus na Hearadh a shuidhicheadh innte an déidh a' Chiad Chogaidh Mhóir.

Agus rud eile: bha barrachd fhirionnach an 1951 ann an Cille- mhoire is an Diùrinnis na bha annta de bhoirionnaich, suidh- eachadh nach fhaighear gu tric 'nar dùthaich.

Tha taobh eile air a' chùis as mì-ghealltanaich na sin: àireamh

nan seann daoine an coimeas ri mór-àireamh an t-sluaigh a bhith
sìor dhol a meud, agus àireamh na cloinne an lughaid. Chì sinn
sin le aon sùil a thoirt air a' chléith so shìos:

aois				1861 daoine	as 100	1931 daoine	as 100
65 is córr	-	-	-	1,352	6.8	1,678	16.2
15 gu 65	-	-	-	11,691	59.2	6,231	59.9
0 gu 15	-	-	-	6,702	33.9	2,487	23.9

Tuigear mar a tha so a' tachart le gabhail deich bliadhna an
sud is an so aig eadar-dhealachadh amannan eadar chunntaidhean.
Gabhaidh sinn an toiseach na deich bliadhna eadar 1861 agus
1871.

(1) Anns an ùine sin rugadh 4916 leanabh,
bhàsaich 3278 duine;
bu chòir le sin 1638 duine a bhith ann a bharrachd, ach
'sann a bha 1477 na bu lugha ann, nì a tha a' ciallachadh
gun dh'fhàg anns an ùine sin 1638 + 1477 (3115) duine an
t-eilean, agus sin uile ach beag na cosnaichean òga.

(2) Gabhaidh sinn a rìs na deich bliadhna eadar 1901-1911:
rugadh 2853
bhàsaich 2353.
Bu chòir 501 a bharrachd a bhith ann an 1911; ach 'sann
a bha 1279 na bu lugha ann. Le sin feumaidh gun dh'fhàg
1780 an t-eilean anns an ùine sin.

(3) Anns na deich bliadhna bho 1921 gu 1931
rugadh 1630
bhàsaich 1946;
is e sin 316 a bharrachd as a rugadh.
Bha an t-aireamh 1239 na bu lugha aig deireadh na h-uine
na aig a toiseach. Dh'fhalbh le sin 1239 − 316 = 923 duine
ás an eilean rè nan deich bliadhna sin. Faodar a thuigsinn
gu bheil seargadh na h-àireamh a' ruighinn ìre mhì-
ghealltanaich nuair a tha barrachd dhaoine a' bàsachadh
na tha de leanabain 'gam breth.

Tha aon àite ann anns a bheil an sluagh a' dòmhlachadh. Is e
sin Port-rìgh. A riamh bho 1841, nuair a b'àirde àireamh an
t-sluaigh 'san eilean is a b'ìsle e anns a' bhaile 'san ùine sin, bha
àireamh sluaigh Phort-rìgh a' dol an lìonmhorachd leis gach

cunntadh gus a' bhliadhna 1891 nuair a bha 1003 duine ann. Bha
e dà cheud duine na b' ìsle na sin (793) an 1921, ach leis na
thogadh a thighean ùra anns na deich blidhana fichead mu
dheireadh bha an t-àireamh an 1951 trì cheud duine (1097) na
b'àirde na bha e an 1921. Cha robh e a riamh roimhe cho àrd.
Chì sinn sin bho'n chléith so shìos:

Cunntadh	-	1841	1861	1881	1891	1901	1911	1921	1931	1951
Aireamh	-	510	679	893	1003	872	888	793	802	1097

Chan eil fhios dé dh'fhaodas tachart fhathast, ach a rèir coltais
is ann sìos a théid àireamh muinntir an eilein oir chan eil móran
obrach dhaibh ann. Tha a' chuid as motha de an teachd-an-tìr a'
tighinn o bhith cumail bheathaichean, ach cha leigar a leas sùil a
bhith ri móran leasachadh sluaigh a thighinn o bhith cumail an
tuilleadh, freagarrach is gu a bheil an t-eilean airson na h-obrach
sin.

Chì sinn bho'n mhap gu bheil a h-uile baile, ach beag, air a
shuidheachadh an cois a' chladaich. Tha aobhar no dhà air a sin.
Chan e a mhàin gun robh an sluagh a' strìth ri fearann; bha cuid
mhath de'm beathachadh a' tighinn ás a' mhuir. A rìs, is ann le
eathraichean gu tric a bhatar a' faighinn dhachaidh am beagan
bathair a bhathas a' ceannachd, oir cha robh uair-eigin rothaidean
ann a b' fhiach an t-ainm.

Tha chuid as motha de'n t-sluagh a' còmhnaidh ann an trì no
ceithir de cheàrnaidhean de'n eilean:

1. Timcheall Phort-rìgh, an ceanna-bhaile. Is ann an so a tha
an Siorram agus na fir-lagha a' dèanamh an dachaidh, 's tha
bancannan is tighean-òsda 'ga fhàgail goireasach do luchd turais.
Tha móran de mhuinntir a' bhaile a' dèanamh earrainn mhath
de'm bith-beò orra sin. Tha, a rìs, an Ard-sgoil a' tarraing dhaoine
ann.

2. An ceann-a-tuath Thròdairnis: bho Stafainn, Dìg is Flòdaig-
earraidh gu Cill-mo-Luaig, Cille-Mhoire is Uig. Is e feobhas an
fhearainn a b'aobhar air an t-sluagh a bhith rud-eigin dòmhail 'sna
ceàrnaidhean sin.

3. Timcheall Dhun-bheagain. Chleachd móran dhaoine
faighinn obrach aig a' Chaisteal Mhór, 's tha e fhathast a' tarraing
threudan de luchd-turais ás gach ceàrnaidh de'n t-saoghal. Bho
chionn còrr is ceud bliadhna b'e sgìre Dhiùrinnis an sgìre de'n

eilean uile anns am bu dòmhaile an sluagh. Ach chaidh móran dhiubh fhuadach, is mar a thubhairt Niall MacLeòid—

Tha na fàrdaichean 'nam fàsach
Far an d' àraicheadh na seòid.

Bha an lamraig agus an loch a bhith rud-eigin fasgach a' misneachadh dhaoine gu bhith strìth ri beagan iasgaich gu leasachadh cosnaidh dhaibh.

4. 'San Ath-leathainn. Tha luchd-turais a' cumail obair samhraidh ri móran theaghlaichean anns na bailtean beaga timcheall an àite, agus chleachd beagan iasgaich a bhith 'ga dhèanamh ann cuideachd. Ach tha Breacais a nis a' tanachadh gu mór oir chan eil an òigridh a' fuireach aig baile.

Mar a chunnaic sinn, tha àireamh an t-sluaigh a' dol sìos gach bliadhna. Faodaidh dà aobhar a bhith air sin; an toiseach, nach eil daoine a' meas gu bheil an cosnadh cho buannachdail dhaibh no cho freagarrach airson an latha a th'ann is bu mhath leotha; no, a rìs, nach eil an seòrsa cosnaidh a tha ri fhaotainn ann a' tighinn ri càil an t-sluaigh. Ach tha fhathast còrr is 8000 duine ann a dh' fheumas biadh is aodach is blàths is dachaidhean, agus tha fhios nach fhaighear fiach na sgillinn de sin gun a làn luach a thoirt 'na iomlaid. Feumar reic rud-eigin mu choinneimh gach nì a cheannaichear, agus is i a' cheist ciod e a gheibh iad a reiceas iad, no a chaitheas iad tha fàs dhaibh fhéin.

Fad linntean is ann ri obair fearainn a bha a' mhór-chuid de mhuinntir an eilein an urra airson am bith-beò, co-dhiùbh ann an tomhas. Nuair bu mhotha a bha de dhaoine ann, bha iad beò ach beag air na bheireadh iad ás an talamh no ás a' mhuir. Mar a chì sinn bho na feannagan-taomaidh tha an diugh fo fhraoch air na sliosan, cha robh fàd fo an cothrom a ghabhadh tionndadh, nach robh fo bhàrr. Ged nach robh e furasd, le fliuichead na h-aimsir, am bàrr a chaoineachadh, bha na teaghlaichean móra is lìonmhorachd nan làmh a' dèanamh na h-obrach aotrom. Bha an sluagh cho mór an eiseamail na dh'fhàsadh dhaibh fhéin is gun robh féill da-rìribh air fearann. Anns an leth-chiad bliadhna mu dheireadh thàinig caochladh mór a thaobh

124

sin air dòighean an t-sluaigh. Tha an òigridh a' togail orra bho'n tigh, agus tha am fearann, far nach eil e bàn, air àiteach le daoine tha air a thighinn gu aois. Tha cuid-eigin air fhàgail aig baile, oir tha fhathast ceangal mór aig na teaghlaichean ri fearann an athraichean.

Ged tha grunnan bhailtean-fearainn anns an eilean bho am faigh na tuathanaich a tha 'gan oibreachadh bith-beò math, is ann tearc a gheabhar croit cho mór is gun togar teaghlach oirre gu cothromach gun leasachadh obrach eile. Leis gu bheil an aimsir rud-eigin fliuch agus bàrr duilich a chaoineachadh, chan eil na h-uiread deth 'ga oibreachadh is a chleachd, ach tha fhathast, ann an tomhas, buntàta, is bainne is uighean a' fàs riutha fhéin. Ged tha móran de mhathachadh na talmhainn 'ga nighe air falbh leis na dòirtidhean uisge, tha air fhàgail na bheir fàs mór feòir a mach, agus seach gu bheil an t-eilean cnocach, fasgach, tha móran bheathaichean 'gan àrach airson nam margaidhean. Tha daoine fiosrach de'n bheachd gu bheil gaiseadh beag air bheag a' tighinn 'san fheurach le bhith cumail tuilleadh is a' chòir de chaoraich agus ro bheag de chrodh.

Tha beagan figheadaireachd cuideachd 'ga dhèanamh an Cille-mhoire agus am Bracadal, far an do bhriseadh tacannan chaorach is an tugadh fearainn do Leódhasaich is Hearaich, a thòisich air fighe a' chlò-mhóir, obair ris an robh cuid dhiubh cleachdte. Am Port-rìgh tha muileann-chloimhe Phringle a' cumail obrach ri grunnan math. 'San t-samhradh tha móran chlòitean, phlaidichean agus iomadh seòrsa aodaich dèante 'ga reic ri luchd-turais.

IASGACH

Tha gu leòr de lochan mara anns an eilean, ach tha e gann de dh'òban is òsan fasgach airson phortan iasgaich. Faodaidh e bhith gur h-e sin a b' aobhar gun robh an Sgitheanach a riamh na bu déidheile air obair fearainn is togail bheathaichean na bha e air siaban mara a bhith mu a dhosan. Ach ged nach eil urad iasgaich is a b'àbhaist, no a shaoileadhte, g'a dhèanamh, thathas a' strìth ris fhathast am Port-rìgh, am bailtean beaga nam Bràighean, am baile no dhà ann an Sléibhte, agus an Lochan Bhracadail, Ghlinn-dail agus an Uig. Ach is e fìor bheag de thoradh an iasgaich sin a tha ruighinn nam margaidhean. Bha uair a bha am barrachd.

Ged tha na Sgitheanaich gu mór air cùl a chur ri iasgach mara, tha iad a' cosnadh cnap math airgid air trusadh fhaochag is 'gan

125

reic air margadh Bhilinsgeit, a ruigeas iad ann an iomlaid nan ceithir uairean fichead.

Tha beagan dhaoine a' faighinn obrach an tighean-staile Thalaisgeir, agus, gu chionn ghoirid, bha obair an diatomite aig Leathallt a' cumail cosnaidh ri beagan. Tha obair rothaidean 'na chuideachadh. Chan eil teagamh sam bith nach fheumadh muinntir an eilein an tuilleadh leasachaidh-cosnaidh gus an teaghlaichean a thogail gu cothromach air an tuath.

Tha e feumail gu bheil tàladh mór ann do luchd-turais. Chan eil sin 'na iongnadh, oir tha seallaidhean àghmor ri am faicinn air gach taobh. Tha móran, gu h-àraidh an òigridh, 'ga thadhal gach bliadhna a' sreapaireachd am beanntan a' Chuilithinn. Chan eil aon àit eile am Breatainn anns am faighear na h-urad de bheanntan a dh'fhiachas gu'n cùl na sreapairean as greimeile agus as misneachaile tha againn. Tha àireamh an luchd-turais a' dol am meud gach bliadhna, agus is e glé bheag a bhailtean nach eil a' dèanamh cosnadh math samhraidh le bhith toirt cuid-oidhche dhaibh. Chan eil teagamh sam bith nach eil na tha iad a' fàgail de dh'airgead anns an eilean 'na chuideachadh mór do na Sgitheanaich.

126

MAIRI NIGHEAN IAIN BHAIN

Mar tha fhios agaibh a cheana, is e 'n ceann a ghabh mi airson a' phàipeir so, "Màiri Nighean Iain Bhàin." Bho chionn grunnan bhliadhnachan an so air ais thachair dhomh bhith fuireach ann an iomall far nach cuinnte facal Gàidhlig ach fìor chorr ainneamh. Theagamh gum b' e sin a b' aobhar mi faighinn a leithid de dh'ùrachadh 's de thogail bho leabhar beag a bha an còmhnuidh agam ri mo làimh. Is e an leabhar a bh'ann, *Bàrdachd Màiri*. Thachair dhomh uair no dhà innseadh do chuid de mo chàirdean mu 'n ìocshlaint so a bha agam, ach spiac iad an t-sùil thruasail sin rium, anns an robh e furasda gu leòir dhomh faicinn eadar-dhealachadh baralach, le tuilleadh 's a chòir de dhìmeas air a' chuspair. Sin dìreach an t-aobhar thug orm gabhail mar cheann-labhairt Màiri is a Bàrdachd. Smaoinich mi nan rachadh agam air dèanamh soilleir dhuibh trian de 'n taitneas a fhuair mi fhìn 'na comunn, gum biodh có dhiùbh aon neach rud-eigin riaraichte. As aon nì tha mi cinnteach, nam biodh i-fhéin an so an nochd 's a' cholla dhaonda nach biodh an oidhche fada dol seachad, oir ma bha spiorad na céilidh a riamh air a dhèanamh follaiseach 'san fheòil b'ann am Màiri Nighean Iain Bhàin.

Tha cuid an làthair, tha mi creidsinn, a chuala is a chunnaic i, agus do an aithne móran mu timcheall nach cuala is nach do leugh mise; ach saoilidh mi, ma tha Inbhir Nis mar àitean eile, nach eil an comunn so gun chuid a tha 'ga dearmad—dh'fhaodainn a chantainn 'ga dìmeas. Bu mhiann leam iad sin an tuilleadh aithne chur oirre, agus sibhse a thà, agus a bhà, eòlach oirre, an oidhche chur seachad gu caidreach 'na comunn, dìreach air a sgàth féin—cho ùr-thogarrach, cho neo-mhathach, cho tomadach an corp 's an inntinn.

Faiceamaid i mata a' tighinn a steach: boirionnach mór ann an làn shult—

> "Bha seachd clacha diag am Màiri,
> 'S a' Chùdainn an còrr de dh'àireamh";

air a ceann, fear de na seann churraicean geala; gùn fada farsuing oirre; an fhearsaid aice na làimh; agus, 's math dh'fhaoidte, i seinn

> "Nuair chaidh na ceithir ùr oirre
> Dhe 'n darach làidir, shùbailte;
> Nuair chaidh na ceithir ùr oirre."

127

Tha a bial, chì sibh, rud-eigin tiugh làn, ach fosgarra còir; a sùil, glic, mear, furachail; agus 'na ceum is 'na gluasad tha tapachd inntinn faicsinneach do na h-uile. Sin agaibh Màiri—mórail, còir, suilbhir.

Rugadh i anns a' chiad bhliadhna fichead de an naoidheamh linn diag. Aig an am sin, bha tacannan chaorach a' pàidheadh na b'fheàrr do na h-uachdarain na tuath chroiteirean, agus mar bha nàdurrach—ged bu chruaidh-chridheach an obair i—bha feadhainn de na croiteirean air an sgiùrsadh, cuid do 'n "choille ghruamaich" an Canadaidh, cuid do chùiltean anns a' mhonadh no anns na bailtean móra. Air do athair Màiri, Iain Bàn Mac Aonghais Oig, diùltadh dol air eilthireachd do Americaidh, b'éiginn da fàgail an Eilein Sgitheanaich, ach an déidh dha bhith air thigheadas an Glaschu mu dhusan bliadhna, thill e gu taca beag ann an Sgèabost, far an d'rugadh Màiri.

Cha d'fhuair a' bhan-bhàrd, cho fad 's as fiosrach mi, facal sgoile; ach fhuair i ionnsachadh air gach gnìomhachas tighe bha ann ri a latha, is bha móran eòlais aice mu chor an t-sluaigh, am bàrdachd, an ceòl, is am bial-aithris; oir bha an tigh-céilidh, 'n uair bha i òg, a' tarruing g'a ionnsaigh gach seanchaidh 's a' bhaile. Ni motha bha bàird, luchd-ciùil is geòireanaich cho tearc is a thàinig iad gu bhith 'na dhéidh sin. Cha robh fhathast—

"An sluagh air fàs cho iongantach
'S gur cruithneachd leotha bròn,
'S mur téid thu ann am faochaig dhaibh
Chan fhaodadh tu bhith beò."

Air na h-oidhcheannan fada geamhraidh, bha cridhealas is àbhachd nach bu bheag 'nam measg, is cha robh Màiri air té aig nach biodh a cuid de gach sùgradh a bhiodh a' dol.

Anns a' bhliadhna 1848 phòs i fear Isaac Macphearsain, griasaich an Inbhir Nis ach a bhuineadh do an Eilean Sgitheanach. Cóig bliadhna fichead an déidh so, chaidh a fàgail 'na bantraich le ceathrar chloinne. Bha nis "grian a leth-cheud bliadhna dol sìos fo na neòil," ach cha do chuir sin dìth-misnich an cridhe Màiri. Car aosda is mar a bha i, dh'fhàg i Inbhir Nis is chaidh i dh'Glaschu, far an do thòisich i toirt a mach dreuchd ban-eiridnidh 'san Royal Infirmary. Bha i cóig bliadhna an sin a' cur a steach a tìde, is an déidh dhi a teisteanas fhaighinn bha i a' gnàthachadh a dreuchd an Glaschu is an Grianaig gus an do thìll i 'sa' bhliadhna 1882 gu deireadh a làithean a chur seachad an Sgèabost, a seann dachaidh, air an tug an t-uachdaran, Mgr. Lachlann Dòmhnullach, di tigh a nasgaidh.

Bha i córr is leth-cheud bliadhna mu'n deach a fiosrachadh gun robh comas is spiorad na bàrdachd aice. A' bhliadhna an déidh bàs a fir, thugadh gu cùirt i, agus a réir coltais chaidh binn eu-ceart a thoirt a mach 'na h-aghaidh. Dh'at a h-àrdan ri linn so gu ìre cho mór, is nach robh furtachd no fuasgladh do h-àmhghair, no do an rachd a bha 'na cridhe, ach ruith a leigeil le smuaintean le ùghdaras is dian-theas, do nach fhaighte briathran freagarrach ach am bàrdachd.

> " 'S e na dh'fhuiling mi de thàmailt
> A thug mo bhàrdachd beò."

Chuir e iomadh uair gu smaointeachadh mi an dìmeas a chaidh a dhèanamh oirre leotha-san a sgrìobh mu litreachas na Gàidhlig. Tha mi cinnteach nach tug a h-aon aca a h-àite dligheach dhi am measg nam bàrd, ged thug iad luaidh mholaidh air iomadh dàn is òran tha gun sùgh gun spionnadh an taca ris a' chuid as feàrr a chuir Màiri r'a chéile. Mas e Mgr. Alasdair Macneacail fhéin—agus is ann le mór spéis a tha mi a' cantainn so — saoilidh mi nach tug e dhuinn, anns an leabhar sin, *Eachdraidh an Eilean Sgitheanaich,* ach darna leth na fìrinn mu déidhinn, agus sin an leth as tàireile. A' chuid as motha, nì a cur a thaobh le facal na dhà, nuair a bheir iad pearda an déidh peirde de mholadh do Niall Mac Leòid; agus is math as fhiach e sin. Ach an déidh a h-uile rud, an robh Màiri cho fada, fada air dheireadh air, is nach dèanadh dìchioll beag is taghadh math a nochdadh dhuinn le tuilleadh ceartais? Tha Niall, le aonta na h-uile, 'na fhìor bhàrd; caomhail, binn, cunbhalach is crìochanta anns gach dàn is òran a rinn e. Chan urrainn dhuinn an nì ceudna a ràdh mu Mhàiri, oir tha iomadh cearb air cuid de a h-òrain, a thàinig thugainn, mar a thàinig iad thuice, gun aon snasadh bho ghob a' phinn. Ach mur eil i air thoiseach, chan eil i ceum air dheireadh, air Niall ann an spionnadh, ann an ceòlmhoireachd bhriathran, ann an sùbailteachd cainnt, agus, a dh'aindeoin na their cuid mu bàrdachd a thaobh dìth-doimhne is cion mothachaidh, ràinig i, saoilidh mi, aig a feobhas, ann am faireach-dainn is an drùidhteachd, ionad is inbhe tha amharas agam nach robh an comas Nèill; agus chan ann a' toirt beum dha a tha mi le sin. Ann am facal : tha esan taitneach, binn, snasail; ise, toirteil, léirsinneach, ceòlmhor.

Chan ann aon uair a thàinig e steach orm gun chuir a' bhuaidh is an grinneas a tha air òrain Mhic Leòid seòrsa de dhrùidheachd oirnn, air chor is gur lìonmhor iad a tha de an bheachd mur 'eil gach rann ann an cainnt mhìn, shlìm, shleamhuinn, bhòidhich, nach bàrdachd idir e. Tha ar n-aigne air fàs cho lag is ar cluas cho frionasach is cho faireachail do mhìneid cainnt, mar a chì sinn ann an cuid de bhàrdachd an latha an diugh, 's gu bheil sinn ann an cunnart cùl a chur ri toirt macmeanmna is dealas dian a' bhàird air sgàth sruth caol tana de chainnt mhìn fhurasda.

Nis, gheibh sinn an spionnadh is an dealas so, saoilidh mi, nas treise ann an òrain Màiri na gheibh sinn ann an saothair a' mhór-chuid a sgrìobh 'na latha. Tha i seinn o'n is fheudar di, agus sin le ealamhachd is farsuingeachd seallaidh a tha 'ga comharrachadh a mach o chàch, gun thionndadh thoirt dhuinn le mìlseachd is baoth-chainnt.

Aig amannaibh tha cuairt a smuain, gun teagamh, a' filleadh a steach iomadh nì a tha an cunnart éigneachadh aonachd nan óran; tha earrann de na chuir i ri chéile rud-eigin sgaoilte anns an dlùth; chan eil an snaim ann an cuid de àitibh cho grinn is a dh'iarradh sinn; ach tha taomadh a spioraid cho daonna treibh-dhireach, cho faisg air a cuspair, 's gum faigh sinn iomadh nì a thaitneas ruinn anns na rainn as tuaireabaich a rinn i.

Mar a thuirt mi cheana, cha d'fhuair i facal, co dhiùbh móran, sgoile. Coltach ri cuid eile de ar bàirdibh Gàidhealach, ged a leughadh i, cha robh comas sgrìobhaidh aice 'na cainnt fhéin. Ni motha bha leabhraichean soirbh ri am faighinn; ach 'na h-òige cha robh litreachas na Gàidhlig a bh'air aiseag le bial-aithris fhathast air call a shùgh no an t-ùghdaras sin, am facal 's am briathar, a dh'fhàg cho snasail cuid de ar seann sgeulachdan. Bha crìonadh cainnte, gun teagamh, air tòiseachadh, 's bha caoin-shuarachas is dìth-suim, ann an tomhas, air lagachadh ar cànain; ach dh'éisd Màiri le cluais bhioraich ris na bloighean seann bhàrdachd is sgeulachdan bha fhathast ri an cluinntinn—bloighean a bha comasach, le cho sìmplidh, soilleir, is deas-bhriathrach 's a bha iad, air greimeachadh ri inntinn na h-òigridh 's a dùsgadh gu ùr-dhealbhadh. Le cuimhne anabarrach làidir chum i an tasgadh gach nì a chuala i anns na céilidhean, ma bha luach air bith ann; is tha e air innse gun robh deich mìle fichead sreath bàrdachd aice air a teangaidh. Mar bhuil air an eòlas fharsuing so air seann litreachas an t-sluaigh, gheibh sinn i a' cleachdadh modh cainnte tha anabarrach glan, soilleir—gach facal air a thoirt á fìor charraig na Gàidhlig, gun fiù is amharas blas leabhraichean no smuain choimhich. Tha so 'na ùrachadh dhuinn nuair a bhitheas sinn seachd sgìth de mhìn-bhòidheachas is rìomhadh cainnte, a tha air a snasadh fo ghob a' phinn gu ìre an anail bheò fhàsgadh aisde. Chaidh Màiri air a h-ais, is tha sinn taingeil, gu lùth is ceòl is sìmplidheachd cuid de an t-seann bhàrdachd, a' cur cùl ris an taomadh fhacal tha milleadh earrainn de shaothair ar sàr-bhàrd. Nis, ma's nì airidh air meas i gabhail cainnt an t-sluaigh mar so is i a h-àrdachadh leis an sgèimh sin a bheir àrd aignidh do bhriathraibh dhàn, is ban-bhàrd Màiri ás am bu chòir gach Gàidheal uaill a dhèanamh.

Ach a thuilleadh air an taitneas a bheir a bàrdachd, mar bhàrdachd, dhuinn, tha aobhar eile ann a tha 'gar tàladh gu rann-sachadh a h-òrain: is e sin, dìreach Màiri fhéin, agus an sealladh a tha i a' toirt dhuinn air gach dual a bha 'na gnè— a mèinn 's a h-aignidhean is eadhoin na blaomaidhean sin anns a bheil i leigeil ris dhuinn an dlùth-dhàimh daonndail a tha eadarainn uile. Cia air bith an gean a bhiodh air a' chòmhlan anns an tachradh i a bhith, bha a h-aignidhean cho beò, faireachail, is gun taisbeanadh i an dearbh ghean, dubhachas no subhachas—gu h-àraidh subhachas—ann an tomhas gu mór thar chàch. Theagamh nach robh an t-srian aig amannaibh cho teann is bu mhath, ach, co dhiùbh, is e an co-fhreagairt so, eallamh, teò-chridheach, do chuideachd is do smuaintean, aon de na buaidhean as motha tha toirt a thlachd dhomh 'na bàrdachd. Chì sinn Màiri ann a sin dìreach mar a bha i, le fuil bhlàith a' ruith troimh a cuislibh, am math is an t-olc air a mheasgachadh mar ann an càch, is feumaidh mi aideachadh nan robh i na bu choimhlionta ann am foirbheachd, nach biodh idir an t-aon tàladh 'na leabhar dhomh.

Chaidh bàrdachd Màiri a chur an clò bho chionn còrr is dà fhichead bliadhna. Rinn i iomadh rann nach eil againn sgrìobhte, ach tha iad sin, ach beag, air dol á cuimhne. Bu mhiann leam an so beachdachadh car ùine bhig air a' chuid sin dhith a tha againn 'na leabhar. Tha timcheall air ciad òran is dàn ann, agus faodar an roinn air thuairmeis 'nan sia no seachd earrannan:—

> òrain sàrachaidh,
> òrain mu an Eilean Sgitheanach,
> òrain fògraidh no dì-làrachaidh,

òrain ionndrainn,
òrain aotrom is sheann chleachdaidhean,
òrain mu chreideamh,
is marbhrainn.

Is ann ainneamh a gheibh sinn i a' leantainn ann an aon òran air an aon chuspair, is chan 'eil a bàrdachd le sin furasd roinn ghlan a dhèanamh oirre. Gu rud-eigin coltach ri so a dhèanamh, bidh agam ri mìr a thoirt á sud is á so, oir cia air bith ceann air am biodh i a mach cha bhiodh an diachainn a dh'fhuiling i fada bho a h-inntinn, is bhiodh Eilean a gaoil, le fògradh a muinntreach, seann chleachdaidhean an t-sluaigh, is ionndrainn dlùth air a shàil.

Tòisichidh mi leis a' chuspair a chuir gun cluinnte idir i.

"Thòisich mise seinn mo cheòil
Air fuaidnean nàduir m' anshocair,"

sheinn i-fhéin; is ma tha i guineach, geàrrte anns an iomradh tha i toirt dhuinn, có chuireadh umhail oirre? Tre fhulangas fhuair i eòlas far nach d'fhuair móran bhàrd eile—

" 'S math an colaisd am prìosan—
'S fhad o dh' aithnich mi-fhìn sin,
Ach thig buaidh leis an fhìrinn
Dh' aindheoin innleachd nan daoi."

Leis an làrach a dh'fhàg an tàmailt air a h-inntinn, gheibh sinn buil a fior fhaireachdainn fhéin air gach rann a chuir i ri chéile: cha robh i an innibh séideadh air éibhlean marbha gu meadhbhlathachas a thoirt gu dian theas; oir fhuair i faobhar is lùth is fosgladh mar thoradh air aobhar a diachainn.

Ged nach urrainn mi aig an am a dhol ro fhada steach ann, tha i a' toirt cunntas mion dhuinn mu'n chùis.

"Bha móran de dh' eu-dòchas" (tha i cantainn)
"A' leantainn rium o m' òige,
Ach thugadh deoch ri òl dhomh
Le dòrlach luibhean searbha.

132

Thugadh mi d' an fhàsach,
Is dh' òl mi uisge Mhàrah,
Ach chumadh suas tre ghràs mi
Ged shàraicheadh gu searbh mi.

Chuireadh mi am prìosan
Gun seasamh lagh no binne,
Ach Sasannaich le 'm mìorun
'Gam dhìteadh le 'n cuid seanachais."

Tha i a' tighinn uair is uair air a so, ach gu h-àraidh anns na
h-òrain, "Tha mi sgìth de luchd na Beurla," "Clò na cùbaid," agus
"Oran sàrachaidh," far a bheil i leudachadh air a' chasaid a
chaidh a dhèanamh oirre is air a' bhinn a thugadh a mach is i,
mar tha chuid mhór a' creidsinn, anns an neo-chiont. Co-dhiùbh,
bha cùisean a' seallainn cho mór 'na h-aghaidh, is gun d' thubhairt
i-fhéin mu fhear a shaoil leatha a sheasamh i ach a rinn a
h-àicheadh—

"Sud agaibh mar a rinn Pàdruig
Nuair chaidh an Slànuighear a cheusadh.

'S mise nach do ghabh an t-iongnadh
Ri leithid de dhuine gaolach,
Nuair a chreid e bean dhe m' aois
A dhol a thaobh cho mór an eucoir—

Dhol a nàrachadh mo dhaoine
A choisinn cliù air feadh an t-saoghail
Airson clùdan a sheann-aodach—
Tha sinn saor dhuibh, 's dèanaibh éisdeachd."

Ach ged dh' fhiach so i gu mór chumadh suas i 'na h-àmhghair,
mar tha i ag innseadh an àite eile—

"Chuir iad mi air leacan fuara,
'S chuir iad bòrd fo m' cheann mar chluasaig,
'S b' fheumail cogais shaor dhomh nuair sin;
Chum i suas mi 's rinn i m' éideadh.

133

Bu mhath dhòmhsa mar a thachair,
Nach robh chogais 'ga mo thachdadh,
Sud an nì a chum an taic rium,
    Nuair a thachair dhomh bhith m' éiginn.

Ach nam bithinn 'na mo dhùthaich,
Far na dh' àraicheadh air tùs mi,
Cha robh Sasannach fo 'n Chrùn,
    A dh' fhaodadh sùil thoirt orm le eucoir."

Tha i da-rìribh sgaiteach 'na h-"Oran Sàrachaidh," far a bheil
i toirt ionnsaigh ghointich air an neach a bha, a rèir a barail
fhéin, 'na mheadhon air mar a chaidh a' chùis 'na h-aghaidh. Gu
breith chothromach a thoirt air an naimhdeas a tha i a' nochdadh
dha, is còir cuimhneachadh nach robh i gun aobhar—

    "Is e na dh' fhuiling mi de thàire
    Spògan easbuigean is Bàillidh,
    Chuir am faobhar air mo nàdur
    Is ola chràidh 'ga dhèanamh geur dhomh."

Is math as fhiach an t-òran 'a leughadh air sgàth a ghéireid is
a shamhlaichean, ged nach eil àicheadh nach 'eil i a' dol thar
cuimeis. So trì ruinn deth—

    "Sheas mi m' aonar 'sa' chaonnaig fhuileachdaich,
    Am fianuis chiadan, 's tha diachainn uil' orra,
    Fo spògan dhiabhail nach iarradh tuilleadh ach
    Luchd lagha bhiathadh gu dìon an cunnairt bhuainn."

Mu 'n bhàillidh tha i cantainn—

    "Is tù 'n sionnach ròmach tha seòlta fuileachdach,
    Tha làn de ainneart is tuill a chumas e;
    Ma théid thu shealg nuair bhios fearg is acras ort,
    Mo thruaighe an t-ainmhidh a dh' earb a carcais riut.

    Is iomadh creutair le éiginn 's uireasbhaidh
    D' an rinn thu bòidean an còir gun cumadh tu,
    Ach gheàrr thu 'n sgòrnan is dh' òl thu 'n fhuil aca,
    'S an cairbh air mòintich fo spòg nan iolairean."

Ann an "Clò na Cùbaid" tha i 'ga fheannadh a rithist le achmhasan is tàthagan giara—

> "Innsidh mi dhuibh anns a' chànain,
> Dh' ionnsaich mi ri linn mo mhàthar,
> Cliù luchd-aideachaidh gun ghràs
>   A ghabh am fàth air m' aineolas.
>
> Gun d' fhuair fear dhiubh ùghdar Bàillidh,
> 'S thog e cas air beart an àrdain,
> 'S nuair a fhuair e an spàl 'na làimh
>   Gun d' rinn e an snàth a theannachadh.
>
> Dhùin e shùilean ris an àithne,
> 'S dh' fhosgail e le sannt a mhàileid,
> 'S lìon e suas le sprùidhleach chàich i,
>   'S dh' fhalbh a màs gu talamh aisd'.
>
> Chum e taic ri druim nan naimhdean
> Bha cur smal air cliù na bàntraich,
> Chumadh suas ris 's neo-ar-thaing
>   Do'n h-uile dall a theannadh ris.
>
> Nuair chaidh lagh is sannt is àrdan
> Thaosgnadh suas an eanchainn Bàillidh,
> Lìon e dhòmhsa spàin de an chàl,
>   'S a bhlas gu bràth cha dealaich rium."

Bha eagal oirre gun gabhadh an naimhdeas so tuilleadh is a' chòir de ghréim air a h-inntinn, ach tha sinn toilichte gun d' fhuair i 'na cridhe, mar a chì sinn bho an rann a leanas, air maitheanas thoirt dha—

> "Ma bhios agam cridhe fuar dhuit,
> Is cruaidh a' chluasag leabaidh-bàis e,
> Ach fhuair mi na bha mi ag iarraidh,
>   Gun do thìodhlaiceadh tre ghràs e."

Ach bha an tàmailt 'ga leantainn, is cha robh fois di anns na làithibh sin, cia air bith àite anns am bitheadh i—

135

"Cha robh bruachag no lagan luachrach
No creag uamha 'san robh mi eòlach,
Nach d' rinn mi chnuasach 's mo cheann 'na thuaineal
'S na deòir le m' ghruaidhean 'nan sruth a' dòrtadh."

Is tha i a' crìochnachadh rann eile leis na briathran dealbhach tùrail sin,

" 'S na cnuic cho fuar dhomh ri stuadhan reòite."

Co-dhiùbh, fhuair i druim a réir an eallaich, is tha i cur cainnt air a dùbhlan le fìor dheiseachd; cha robh strìochdadh 'na h-aorabh:

"Ach dh' aindheoin buairidh is tonnan uaibhreach
Is iomadh truaighe tha an dual dha m' sheòrsa,
Tha éibhleag uasal 'na laighe an uaigneas
A chumas suas mi cho fad 's beò mi."

Is fàgaidh sinn sin an sin, ach dìreach gun toir e sinn gus an ath chuspair—An t-Eilean Sgitheanach, a bha cho tric ri aghaidh inntinn Màiri nuair bu mhotha a bha tuinn a truaighe a' bagradh oirre.

"Is e cuspair nam bàrd a th'ann an Eilean a' Cheò," a réir beachd Aonghais Mhic Dhonnachaidh anns "An t-Ogha Mór," is cha téid duine againn 'na aghaidh an sin. Ach ged sheinn iomadh bàrd mu thimcheall, na sheinn a h-aon eile le ceòl cho fuaimneach réidh is a rinn Màiri Nighean Iain Bhàin? Na sheall le sùil cho blàth, le gràdh cho farsuing, no le sealladh cho fradharcach air a lochan is air a bheanntan? Fàgaidh mi freagairt na ceist agaibh fhéin, is ma leughar a bàrdachd bho cheann gu ceann le sùil-thaghaidh, saoilidh mi nach bi am freagairt sin fada clì.

An déidh dhi fàgail Inbhir-nis, nuair a bha i a' cur a steach a tìde ann an Glaschu, thug i iomadh sgrìob do an Eilean Sgitheanach. Aig amannaibh bha an cianalas a' faighinn gréim cho mór oirre is nach robh seachnadh air dhi ach sealladh fhaighinn air àite a breith is a h-àraich. O 'n is i-fhéin as fheàrr a dh' innseas so na mise, leughaidh mi litir a chuir i gu 'n Urramach Caimbeul, an Eilean Phrionnsa Eideard, an cois an òrain, "Ath Urachadh m' Eòlais." Tha an litir a' cur soluis air nì no dhà eile a thuilleadh air a gràdh do an Eilean. "A charaide," (tha i a' cantainn), "Tha mi toilichte gun do ràinig thu slàn, gun d'fhuair thu do theaghlach agus do choimhthional mar bu mhath leat, agus

136

gun robh fhathast beò dhe mo chàirdean na thigeadh mìltean a choimhead an fhraoich agus na mòna a chuir mi leat. Is iomadh beart mhór de fhraoch easraidh agus eallach de fhraoch-sìomain a thug mi-fhìn agus do mhàthair o uchd na Cruinne-bheinn, agus eallach de luachair-bhualaidh a ghoid sinn á Tobht-àrdair. Chan 'eil nì dhe 'n t-seòrsa sin an so nise.

"Is beag a shaoileadh do mhàthair gun robh mi dà fhichead bliadhna agus a h-aon gun ghas fhraoich fhaicinn, no urad agus sguabach a bheireadh sgrìob air an tigh gus an do thachair dhomh, air latha àraidh foghair, a dhol seachad air bùth ann an Sràid Earra-Ghàidheal ann an Glaschu. Chunnaic mi bocsa làn fraoich agus eòin a chuir na Sasunnaich fhad-chasach, a spùill ar dùthaich àghmhor, a Ghlaschu g' an reic. Thug mo chridhe leum as le toil-inntinn. Dh' fhoighneachd mi dhaibh ann an Gàidhlig an reiceadh iad am fraoch. Fhreagair iad mi ann am Beurla chruaidh nach reiceadh. Thill mi mach, sheas mi air an t-sràid agus thuirt mi 'na mo chridhe, 'Gheibh mise fraoch agus neo-ar-thaing dhuibh.' Mar a thuirt, b' fhìor. Dh' ullaich mi mi-fhìn agus thog mi orm gu sunndach air an ath Dhi-luain: ràinig mi am Broomi-law; leum mi stigh do shoitheach-na-smùide, an 'Clansman'. Cha chreid mi nach can thu gu bheil an iorram a leanas mar gum b'ann a' freagairt do ghleadhraich a cuid ùpraid:

"Is uallach mi cur cùl ri m' aineol
Fàgail Chluaidh gu tìr nam beannaibh,
Is uallach mi cur cùl ri m' aineol."

Chan eil an t-òran so air na barraichean, ach is fhiach e a leughadh airson a' ghàirdeachais a tha i a' nochdadh ann ris gach cnoc is lag is còmhnard bha tighinn 'san t-sealladh, mar bha am bàta a' dlùthachadh ris an eilean.

"Nuair chunnaic mi mullach Ghlàmaig,
Taobh Beinn Lì is Ruighe Mhàrsgo,
Shaoil leam fhìn gun d' fhàs mi làidir
Leis an fhàile bhàrr nam beannaibh.
Peigh'nn-a'-chorrain is an t-Olach,
'S Lag-a'-bhaile 'n t-àite còmhnard,
Far am biodh na gillean òga
'G iomain gu bòidheach le caman.
Is uallach mi cur cùl ri m' aineol."

Ged thug e snidhe gu sùil—

"Faicinn Ratharsair gun Leòdach,
Rinn i sòlas ri Dun Canna."

Mar is tric le Màiri, gheibh sinn air sàil gach smuain aobhnich "iargain na bha."

"Leagh mo chridhe stigh an Udarn,
Sgorrabreac am beachd mo shùilean;
Bha na laoich a dhèanamh taobh rium
Fad o 'n dùthaich, 's iad fo'n talamh."

Chaidh i dh'fhuireach do Gleann Os, mar bu tric a chaidh, agus, 's math dh'fhaoidte, gur h-ann aig an am so a rinn i an t-òran buadhach tìamhaidh sin, "Nuair Bha Mi Og"; oir tha i a' cantainn—

"Dh'éirich mi maduinn Di-ciadain
'S dh'fhàg mi tigh an diùlnaich fhiachail
Treis mun d'éirich a' ghrian,
'S gun tug mi 'n sliabh orm 'nam dheannaibh."

Fhuair i sealladh farsuinn an sin, is cha robh àite nach robh ainm 'na cheòl di.

"Ràinig mi Sgàirinis Iochdrach,
'S shuidh mi air an dùn bu mhiann leam,
Ghabh mi sealladh de na crìochan
Nach diochuimhnich mi ri m' mhaireann:

Tharta-mheall mhór nan each àluinn,
'S Beinn-a'-chearcaill cruinn mar dh'fhàg mi,
Null gu bruthaichean Torr-sgàlair,
Lag-nam-màrach 's Cnoc-na-feannaig.

Is uallach mi cur cùl ri m'aineol,
Fàgail Chluaidh gu tìr nam beannaibh,
Is uallach mi cur cùl ri m'aineol."

Nach eireachdail an gràdh-dùthcha a tha i a' taisbeanadh an so, gràdh a tha 'gar ruighinn, chan ann troimh bhrìgh nam facal a mhàin, ach troimh cheòl saoibhir is neart is teas nam briathran a tha i a' cleachdadh—

"Tharta-mheall mhór nan each àluinn,
'S Beinn-a'-chearcaill cruinn mar dh'fhàg mi."

Is e an ceòl sin a thàlaidh mi an toiseach gu òrain Màiri. Anns gach rann a rinn i mu 'n Eilean Sgìtheanach gheibh sinn blàths a fàilte a' còmhdach gach ainm leis an aon cheòl fhuaimneach— fìor chomharr a' bhàird—

"Nuair chuimhnicheam an Cuilitheann
'S a thulchann ris na neòil,
Glàmaig is Beinn Bhuirbh,
Eilean Thuilm is Leac-an-Stòir;
Gun ruiginn Rudha-Hùinis,
Gach cnoc is cùil is fròg,
'S an taobh eile sealladh aoibhneach
De Mhaighdeanan Mhic-Leòid."

Ach a thuilleadh air gràdh-dùthcha is ceòl saoibhir làn, tha Màiri a' nochdadh buaidh eile d'an còir dhuinn aire thoirt:

"Shuidh mi air an dùn bu mhiann leam (tha i a'
cantainn),
'S ghabh mi sealladh dhe na crìochan
Nach diochuimhnich mi ri m' mhaireann."

Chì sinn i an so a' seinn bho mhullach nam beann, le clàr an eilein uile fa chomhair a sùl. Tha i 'ga fhaicinn, chan ann le gloine-mhìn Dhonnachaidh Bhàin is Mhic-Mhaighstir-Alasdair, ach le gràdh blàth is sealladh fada fradharcach air fhad 's a liad. Tha so sònraichte anns an ath òran air am bu mhiann leam beachdachadh airson tiotadh, "Soraidh le Eilean a' Cheò." Fhuair Màiri sealladh os àird air an Eilean, is nuair tha i a' seinn an òrain so tha a dhreach 's a chruth uile am beachd a h-inntinn. Tha rainn anns an òran a tha gun teagamh mi-chunbhalach, mar tha Mgr. Macneacail a' cantainn le ceartas, ach chan aidich mi idir gu bheil e gun riaghailt, gun altachadh, coltach

139

ri "glorified tourists' guide." Ciod bu nàdurraich na gun laigheadh dearcadh Màiri, anns an ais-shealladh, air na badan a bu mhotha dhrùidh air a faireachdainn fhéin? Ma tha luaisgean 'na dearcadh, tha an sealladh farsuing, a tha i a' toirt dhuinn, 'na cheangal do an òran is a' toirt aonachd dha. Ged tha Màiri a' crìochnachadh dhà no trì de na rainn air dhòigh rud eigin suarach, tha earrann de'n òran so air cuid cho math is a rinn i. So agaibh pàirt deth—

> "Soraidh leis an àit'
>   An d'fhuair mi m'àrach òg
> Eilean nam beann àrd,
>   Far an tàmh an ceò,
> Air am moch a dh'éireas
>   Grian nan speur fo ròs,
> A' fuadach neul na h-oidhche,
>   Soillseachadh an Stòir.

Tha i an sin a' toirt dhuinn seallannan àghmhor air an Eilean eadar chuan is tìr—

> " 'S aoibhneach Eilean Asgraib
>   Fàilteacheadh nan tonn,
> 'S uaibhreach creagan Gheàrraidh,
>   Sàilean fos an cionn;
> Suas gu ruig thu 'm Fàsach,
>   Far an tàmh an sonn,
> Steinn is Sgorr-a'-bhàigh,
>   An t-àit as àille fonn.

Ma tha sibh ag iarraidh sàmhchair samhraidh—

> "Seall bho Chaisteal Uisdein
>   Feasgar ciùin gun cheò,
> Ghrian a' dol 'san iar,
>   'S a dreach air fiamh an òir,
> An cuan 'na leabaidh-dhìon
>   Do dh' iasgaibh de gach seòrs,
> Is buar a' dìreadh suas
>   Gu ceann Bòrd uain' Mhic-Leòid.

140

Seallanna bu bhriagha
    Riamh chan fhaca sùil:
Spréidh a mach 'gam fiarach
    Maduinn ghrianach chiùin,
An uiseag air a sgiath
    A' seinn gun fhiamh a ciùil,
'S an ceò mu cheann Beinn Dianabhaig
    'S an sliabh fo dhriùchd."

Is ma tha sibh ro bhlàth—

"Seallaibh o'n a' Chrannaig
    Maduinn ghreannach fhuar,
Null gu Eilean Liandail
    'S a' ghaoth 'n iar tigh'nn tuath;
Tonnan air an riasladh
    'G éirigh sìos is suas,
'S bàtaichean le 'n iasgairean
    Cur siar nan stuadh."

Tha gluasad na mara an sin. 'S an ath rann gheibh sinn sealladh
fada, is an nì sin tha an còmhnuidh an cluais an eileanaich—
gàir a' chuain.

"Eileanan a' chuain
    Mun cuairt duit air gach àird,
Seallaidh iad le uamhunn
    Air do stuadhan àrd;
Nuair a dh'éireas buaireas
    Eadar cuan is tràigh
Ni Mol Staphain nuallan
    'S uair dhaibh bhith 'nan tàmh."

Nuair a thòisicheadh Màiri air moladh an Eilein Sgìtheanaich
cha robh fhios ro mhath aice cuin bu chòir dhi stad. Tha i gu
h-àraidh a' nochdadh na cearba so anns an òran, "Eilean a' Cheò,"
far a bheil i moladh nì no dhà nach robh ro airidh air, ach le
fàgail ás dhà no trì de rainn, is òran eireachdail e. Tha ceòl ion-
mholta anns an earrainn as motha dheth, is cha bhiodh e furasd,
a mach o òrain Màiri fhéin, faighinn aon eile anns a bheil gleus
a' chianalais is ionndrainn a' comh-fhreagairt cho inich ri sìneadh

141

taitneach is ceòlmhoireachd nam facal. O 'n is aithne dhuibh uile an t-òran cha leugh mi ach dà rann deth.

"Ged tha mo cheann air liathadh
Le diachainnean is bròn,
Is grian mo lethchiad bliadhna
A' dol sìos fo na neòil,
Tha m' aigne air a lìonadh
Le iarrtas ro mhòr
Gum faicinn Eilean Sgiathach
Nan siantannan 's a' cheò.

Ach có aig a bheil cluasan
No cridhe tha gluasad beò
Nach seinneadh leam an duan so
M' an truaighe thàinig òirnn?
Na mìltean a chaidh fhuadach,
A' toirt uath an cuid 's an còir,
An smaointean thar nan cuantan
Gu Eilean uain' a' Cheò."

Chaidh smaointean Màiri fhéin iomadh uair air astar fada thar chuantan, oir bha i gu tric 'na h-inntinn an comunn nan càirdean air an tug an éiginn, no fòirneart, an dachaidh a dhèanamh an dùthchannan céine. Tha i a' toirt luaidh air so ann an òran a chuir i gu Cailean Caimbeul an cois na litreach a leugh mi. B' iad pàrantan Chailein, Catriona Chaluim Mhóir agus Iain Caimbeul, dithis ris an robh ceangal mór aig Màiri, is nuair a thàinig e shealltainn oirr' am Bothan Ceann-na-Coille airson a' chiad uair rinn i gàirdeachas nach bu bheag ris. Cha mhill mi an t-òran laghach so le dad a chantainn mu dhéidhinn.

"Bha mi cuimhneachadh a riamh
Air na thriall uainn air sàl
Air gach fleasgach 's maighdean dhonn
Dh'fhalbh air long nan crann àrd.

Measg airson na shil mo dheòir
A bha dòrtadh gu làr
B' ann diubh teaghlach Chaluim Mhóir
Thug air móran dhiubh bàrr.

142

Bha mi cuimhneachadh Iain Chaimbeil
'S na suinn 's an robh bhàidh;
Nuair a chuidhtich iad am fonn
Dh'fhàg e m' inntinn fo phràmh.

Cha b'e 'n còmhradh gun tuaiream
Théid troimh m' chluasan an dràsd,
Chluinninn anns na taighean luaidh
Seinn nan duanagan àigh."

Tha i an sin a' toirt iomraidh dhuinn air céilidh Chailein:

"Bha mi suidhe le mnaoi chòir,
Mar bu nòs gabhail tràth,
Nuair a chuala mi gu fòil
Fuaim na còmhla le d' làimh.

'S cinnteach gura coigreach thù
Thàinig ùin air mo sgàth,
'S a tha luaidh air m'ainm cho coibhneil
Le gréim air mo làimh.

'S coigreach mise 'n déidh mo linn
Bha 's a' ghleann so a' tàmh,
Mac Catriona Chaluim Mhóir,
'S tu bha eòlach mu gnàths.

Bheil do mhàthair 's t-athair beò?
Innis dhòmh-sa gun dàil—
Bheil iad uile air an dòigh,
Faotainn co-roinn dhe 'n t-slàint?

Tha mo mhàthair fhathast beò,
Tha mi 'n dòchas, is slàn,
Ach tha m'athair anns an ùir,
Cian bho dhùthaich a ghràidh."

Tha e duilich dhuinne an diugh, tha beò ann an làithean nas earbsaich, gabhail thugainn fhìn an drùidhidh a rinn fògradh an t-sluaigh air cridheachan dhaoine anns na làithean ud. Bha na tobhtaichean fuara 's na tolmain ghlasa 'nam bristeadh-cridhe do chuid gu latha am bàis.

143

"Bha 'n tobht aig Anndra 's e làn a dheànntaig
Toirt 'na mo chuimhne nuair bha mi òg."

Tha Màiri uair a' tighinn air so. Tha i a' toirt iomraidh chianail air anns an òran, "Soraidh leis an Nollaig Uir," far a bheil i ag innseadh dhuinn mu chuairt a thug i gu a seann dachaidh. Bha a' mhaduinn a bh'ann ciùin, grianach, le ùr-shnas an òg-shamhraidh a' còmhdach gach nì mun cuairt, ach an àite fàilte bhlàth cha robh roimhpe ach cìobairean is coin. Tha cuid de na rainn anabarrach sìmplidh còmhnard, oir cha dèanadh rìomhadh cainnte ach lagachadh buaidh na fìrinn. So earrann deth.

"Nuair a nochd mi ris an àit
    Far an robh mo shluagh a' tàmh,
Coin a' comhairtich ri m' shàil,
    Cur na fàilt orm cho fuar.

Nuair a ràinig mi na dùin,
    Tigh mo shean-mhath'r sìos 'na smùr
Toman rainich fàs 's a' chùil
    Far an robh mi mùirneach uair.

Ràinig mi Tobair Iain Bhàin,
    Dh'ainmichinn athair mo ghràidh
'S na clachan mar a chuir a làmh
    Air am fàgail dhomh mar dhuais.

Nuair a sheas mi os an cionn
    Shil na frasan bho mo shùil
A' cuimhneachadh air luchd mo rùin
    A tha 'n diugh 'san ùir 'nan suain."

Ach mar a thuirt bàrd na bu mhotha na Màiri—

"But for the unquiet heart and brain,
    A use in measured language lies;
The sad mechanic exercise,
    Like dull narcotics, numbing pain."

Dh'fhiosraich Màiri an nì ceudna.

"Thiormaich mi' n sin suas mo dheòir,
'S thòisich mi air seinn mo cheòil,
Chumail m' aigne air a dòigh—
Tha cunnart anns a' bhròn air uair."

Rinn i òran buadhach eile air a' chuspair so, 's ged nach
fhaigh sinn iomradh air anns na leabhraichean a chaidh a
sgrìobhadh mu litreachas na Gàidhlig, saoilidh mi nach deach a'
bheag a chur r' a chéile 's an naoidheamh linn deug a bheir
barrachd air a thaobh ceòlmoireachd is faireachdainn. Tha e glé
choltach gun chuir cota-bàn Màiri eagal air cuid, ach cha b' e
sìoda a thigeadh air dian-ruith na h-òige anns na làithean a bh'ann,
no air bodhaig cho taisealach ri té Màiri. Co dhiùbh, tha "Nuair
Bha Mi Og" air òran cho math 's a tha againn an Gàidhlig, is
ged tha' n ùine is ur faighidinn a' ruith a mach, ceadaichidh sibh
dhomh dhà no trì de rainn a thoirt dhuibh—

"Moch 's mi 'g éirigh air bheagan éislein
    Air maduinn Chéitein 's mi ann an Os,
Bha spréidh a' geumnaich an ceann a chéile
    'S a' ghrian ag éirigh air Leac-an-Stòir;
Bha gath a' boillsgeadh air slios nam beanntan
    Cur tuar na h-oidhche 'na dheann fo sgòd,
Is os mo chionn sheinn an uiseag ghreannmhor,
    Toirt 'na mo chuimhne nuair bha mi òg.

Toirt 'na mo chuimhn' iomadh nì a rinn mi
    Nach fhaigh mi 'm bann gu ceann thall mo sgeòil,
A' falbh 's a' ghreamhradh gu luaidh is bainnsean
    Gun solus lainnteir ach ceann an fhòid;
Bhiodh òigridh ghreannmhor ri ceòl is dannsa,
    Ach dh'fhalbh an t-am sin 's tha 'n gleann fo bhròn,
Bha 'n tobht aig Anndra 's e làn a dhèanntaig
    Toirt 'na mo chuimhne nuair bha mi òg."

A thaobh soilleireachd is lainnireachd nam facal, cha bhiodh e
furasd faighinn coimeas an ath rainn, agus gu h-àraidh an ceath-
ramh mu dheireadh dheth—

"An uair a dhìrich mi gual an t-Sìthein,
    Gun leig mi 'n sgìos dhiom air bruaich an lòin,
Bha buadhan m' inntinn a' triall le sìnteig
    Is sùil mo chinn faicinn loinn gach pòir;
Bha 's t-sobhrach mhìn-bhuidh' 's am beàrnan-brìghde,
    An cluaran rìoghail, is lus-an-òir,
'S gach bileag aoibhneach fo bhraon na h-oidhche
    Toirt 'na mo chuimhne nuair bha mi òg."

Tuigidh sinn bho na h-earrannan a leugh mi de a bàrdachd
nach robh Màiri gun bheachdan làidir mu lagh an fhearainn. Nuair
bha cheist sin fa chomhair an t-sluaigh, rinn i na b' urrainn di le
òrain is òraidean gu brosnachadh nan Gàidheal iad a sheasamh an
còrach.

"Nan gabhadh an iarmailt a mhalairt,
    Mar ghabhas am fearann a roinn,
Chan fhaiceamaid rionnag no gealach
    No tarruing ar n-anail dhe 'n ghaoith."

Sheinn i; is sheall i gun robh ise, co dhiùbh, air aon té nach
laigheadh fo fhòirneart de 'n t-seòrsa sin. Bha i 'na h-ursann chatha
air chùl an t-sluaigh an am sabaid Beinn Li, is cha b'e am beachd
a b'fheàrr a bh'aice air an t-siorram a thug a mach binn
chroitearan a' Bhràighe airson na h-aimhreit sin.

"Ghabh mi beachd air fo mo shùil,
    Bho chrùn a chinn gu bhròig;
Bha chlaigeann cruinn gun mheachainn ann
    Cur dìon air roinn de phròis,
Ach bha d' an bhrùid air cùl a chluais
    'Na shuaicheantas gu leòir,
Gum b' urr' e 'n t-olc a chur an gniomh
    'S gun fhiamh a chur air fheòil."

Cha cheadaich uìne dhomh buntainn ri earrannan eile de
bàrdachd, mar tha òrain chràbhaidh, àbhachdais is sheann nòsan;
ged tha eagal orm gun leugh mi tuilleadh is a' chòir anns a robh i
a' nochdadh a dubhachais. Nam biodh neach airson fearas-
chuideachd, ùr-chonaltradh is cridhealas, b'e comunn Màiri an

dearbh àit. Rachainn fhìn astar fada g'a cluinntinn fhéin agus Clach-na-Cùdainn nuair a bha iad a' gabhail na h-aiseig aig Loch Carann.

Crìochnaichidh mi le facal na dhà mu na marbhrainn a rinn i, dubhach 's mar a tha an cuspair sin. Thubhairt cuid-eigin nach eil litreachas aig na Gàidheil ach marbhrainn, agus tha Mgr. Alasdair Macneacail de 'n bheachd cheudna a thaobh Màiri, oir tha e a' cantainn gur h-iad a' chuid as motha de bàrdachd agus nach eil aon aca na barraichean. Nis, chunnt mi gach aon a tha againn 'na leabhar, is chan eil ann ach a sia dhiùbh, a mach á deich is ceithear fichead òran. Saoilidh mi nach eil sin thar cuimeis. Tha gach aon aca ann am briathran cubhaidh dealbhach, oir thuig Màiri gun gabh fìor fhaireachdainn fhoillseachadh, ann am bàrdachd de 'n t-seòrsa so, troimh cheòl nam facal cho math ri an ciall. So aon rann de Chumha Fear Bhun-Athach mar eiseamplar air sin—

> "A mhuinntir Latharn nan caol,
>   Tha sibhse maraon ri bròn,
> Oir chaill sibh ur caraide gaoil
>   A sheasadh gach taobh ur còir;
> Bidh iomradh an fhiùrain 'g a luaidh
>   An dùthaich nan cruach 's nan crann,
> Feadh mhaireas an talamh 's an cuan
>   Dun-athach is Cruachan Beann."

Bhuail am bàs Màiri is i air chuairt anns a' Ghleann Mhór. Chaidh a toirt gu Port-rìgh far an do chaochail i 'sa' bhliadhna 1898, aig aois 77, agus tha i air a h-adhlaiceadh ann an Cladha'-Chaipeil an Inbhir-Nis, far na rùnaich i-fhéin a bhith.

Aon fhacal eile is bidh mi a' crìochnachadh. Bha e faicsinneach dhuibh gun sgrìobh mi gach lideadh le aon ni 'san t-sealladh—a bàrdachd a mholadh far am b' urrainn dhomh sin a dhèanamh. Leugh mi dìreach earrann de 'n chuid sin di a thug tlachd dhomh fhìn, is a thaitinn rium iomadh uair, anns a' bheachd—

> "Gun cuimhnicheadh sibh Màiri."